Aprender

Windows Live

con 100 ejercicios prácticos

Aprender

Windows Live

con 100 ejercicios prácticos

marcombo
ediciones técnicas

Título de la obra:
Aprender Windows Live con 100 ejercicios prácticos

Primera edición, 2010

Diseño de la cubierta: OENE DISSENY

© 2010 MEDIAactive
  Pallars, 141-143 5º B
  08018 Barcelona
  www.mediaactive.es

© 2010 MARCOMBO, S.A.
  Gran Via de les Corts Catalanes, 594
  08007 Barcelona
  www.marcombo.com

ISBN: 978-84-267-1598-2

ISBN (obra completa): 978-84-267-1533-3

D.L.: BI-2763-09

IMPRESO EN GRAFO, S.A.

Presentación

APRENDER WINDOWS LIVE CON 100 EJERCICIOS PRÁCTICOS

100 ejercicios prácticos resueltos que conforman un recorrido por la suite de programas online Windows Live Essentials de Microsoft. Si bien es imposible recoger en las páginas de este libro todas las prestaciones de este paquete de programas, hemos escogido las más interesantes y utilizadas. Una vez realizados los 100 ejercicios que componen este manual, el lector será capaz de sacar el máximo partido a las herramientas gratuitas y en línea que ofrece Microsoft para compartir imágenes y vídeos, comunicarse con contactos de todas partes del mundo, realizar búsquedas de imágenes, lugares, obtener traducciones casi profesionales, etc.

LA FORMA DE APRENDER

Nuestra experiencia en el ámbito de la enseñanza nos ha llevado a diseñar este tipo de manual, en el que cada una de las funciones se ejercita mediante la realización de un ejercicio práctico. Dicho ejercicio se halla explicado paso a paso y pulsación a pulsación, con el fin de no dejar ninguna duda en su proceso de ejecución. Además, lo hemos ilustrado con imágenes descriptivas de los pasos más importantes o de los resultados que deberían obtenerse y con recuadros IMPORTANTE que ofrecen información complementaria sobre los temas tratados en los ejercicios.

Gracias a este sistema se garantiza que una vez realizados los 100 ejercicios del manual, el usuario será capaz de desenvolverse cómodamente con las aplicaciones de Windows Live Essentials.

LOS ARCHIVOS NECESARIOS

En el caso de que desee utilizar los archivos de ejemplo de este libro puede descargarlos desde la zona de descargas de la página de Marcombo (www.marcombo.com) y desde la página específica de este libro.

A QUIÉN VA DIRIGIDO EL MANUAL

Si se inicia usted en la práctica y el trabajo con Windows Live, encontrará en estas páginas un completo recorrido por sus principales funciones. Pero si es usted un experto en la suite de programas, le resultará también muy útil para consultar todas sus novedades o repasar funciones específicas que podrá localizar en el índice.

Cada ejercicio está tratado de forma independiente, por lo que no es necesario que los realice por orden (aunque así se lo recomendamos, puesto que hemos intentado agrupar aquellos ejercicios con temática común). De este modo, si necesita realizar una consulta puntual, podrá dirigirse al ejercicio concreto en el que se trata el tema y llevarlo a cabo sobre sus propios documentos.

WINDOWS LIVE

Windows Live es una nueva y revolucionaria forma de acceder a la información y de estar en contacto con amigos, conocidos y familiares; una excelente manera de compartir y de divertirse. Windows Live es un conjunto de software y servicios de Internet gratuitos diseñados por Microsoft para funcionar conjuntamente.

La información, el contacto y las relaciones con amigos y familiares, el entretenimiento y la seguridad, así como otras aplicaciones son los verdaderos objetivos de Windows Live, que se ven de sobra cumplidos gracias a los distintos elementos que conforman la suite de programas. Podría decirse que Windows Live es un mundo nuevo, una puerta de entrada a un nuevo concepto de Internet, nunca visto hasta ahora. Sólo visitando, conociendo y descubriendo todas y cada una de las aplicaciones de Live entenderá este nuevo concepto, así es que no lo dude: entre en Windows Live y... ¡disfrute!

Cómo funcionan los libros **"Aprender..."**

El título de cada ejercicio expresa sin lugar a dudas en qué consiste éste. De esta forma, si le interesa, puede acceder directamente a la acción que desea aprender o refrescar.

Los ejercicios se han escrito sistemáticamente paso a paso, para que nunca se pierda durante su realización.

El número a la derecha de la página le indica claramente en qué ejercicio se encuentra en todo momento.

Los recuadros Importante incluyen acciones que deben hacerse para asegurarse de que realiza el ejercicio correctamente y también contienen información que es interesante que aprenda porque le facilitarán su trabajo con el programa.

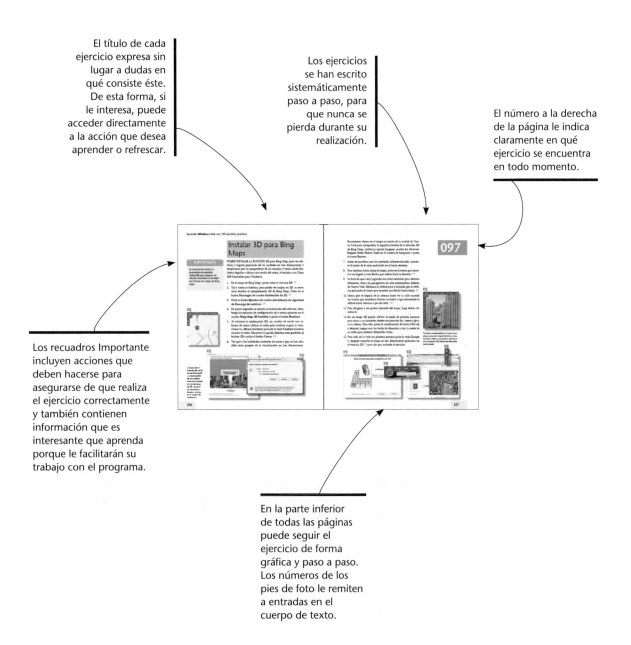

En la parte inferior de todas las páginas puede seguir el ejercicio de forma gráfica y paso a paso. Los números de los pies de foto le remiten a entradas en el cuerpo de texto.

Índice

Índice

Crear una cuenta de Windows Live ID

PARA PODER UTILIZAR LAS DIFERENTES herramientas gratuitas en línea que ofrece Windows Live necesita una cuenta que lo identifique. En este ejercicio le mostraremos cómo crear sus credenciales de inicio de sesión (dirección de correo electrónico y contraseña) para poder utilizarlas después en cualquier sitio del servicio Windows Live.

1. Para empezar, acceda al navegador Internet Explorer pulsando el icono de la aplicación ubicado en la **Barra de tareas.**

2. Haga clic en la dirección que aparece en la **Barra de direcciones**, escriba **http://home.live.com** y pulse la tecla **Retorno** para acceder a esta página, la principal de Windows Live.

3. Para iniciar el proceso de creación de la nueva cuenta de Windows Live, pulse el botón **Registrarse.**

4. Ahora sólo tenemos que rellenar todos los campos del formulario que aparece. Como ve, puede utilizar su propia dirección de correo electrónico para crear el identificador, aunque en este ejercicio daremos de alta una nueva dirección de Hotmail. Haga clic en el campo **Windows Live ID**, escriba un nombre de usuario y pulse el botón **Comprobar disponibilidad.**

5. Si la cuenta está disponible, puede continuar con el proceso. En caso contrario, elija uno de los ID disponibles que se muestran en la lista o pruebe con otro identificador hasta dar con uno libre. Una vez establecida la dirección, haga clic en el

1

2
http://home.live.com

3
Registrarse

Windows Live ID le permite tener acceso a los servicios de Microsoft, incluidos MSN, Hotmail, Office Live, Xbox LIVE y muchos más.

¿No dispone de un Windows Live ID?

Registrarse

Más información sobre Windows Live ID

Directiva de privacidad

4
IDs disponibles
Haga clic en una opción:
hortensia1971@hotmail.es
hortensia19@hotmail.es
hortensia91@hotmail.es
hortensia1910@hotmail.com

5
⊘ hortensiamena@hotmail.es está disponible.

Windows Live ID: hortensiamena @ hotmail.es ▼

Comprobar disponibilidad

O bien, use su propia dirección de correo electrónico

campo **Contraseña** y escriba una combinación de entre 7 y 16 caracteres.

6. La barra situada a la derecha de este campo le indica el grado de seguridad de la contraseña. Lógicamente, lo mejor es que aparezca el término **Alta** en esta barra. Haga clic en el campo **Confirmar contraseña** y vuelva a escribirla.

7. En el campo **Correo electrónico alternativo** debe insertar otra dirección de correo electrónico. Será a esa dirección a la que se enviará la información sobre cómo restablecer la contraseña de su ID en caso de que la olvide. También puede elegir una pregunta se seguridad para restablecerla. Haga clic en el vínculo **O bien, elija una pregunta de seguridad para restablecer la contraseña**.

8. Pulse el botón de punta de flecha del campo **Pregunta** y elija, por ejemplo, la opción **Profesor favorito**.

9. Escriba la respuesta a esa pregunta en el campo **Respuesta secreta** y después, tras desplazarse hacia abajo en la página, escriba su **nombre** y sus **apellidos** en los campos pertinentes.

10. Si no aparece seleccionado por defecto, elija el país **España** en el campo **País** y, a continuación, pulse el botón de punta de flecha del campo **Provincia** y marque la suya.

11. Haga clic en el campo **Código postal** e inserte esa información; después, pulse en el botón de opción correspondiente a su **sexo** e introduzca su **año de nacimiento** en el campo adecuado.

12. Sólo falta que escriba los 8 caracteres que se ven en la imagen en el campo **Caracteres**. Hágalo, desactive la opción **Enviarme correo electrónico con ofertas promocionales** y pulse el botón **Acepto**.

IMPORTANTE

En caso de que tenga problemas de visión, puede pulsar el icono de altavoz situado junto a los **caracteres de seguridad** para escuchar una combinación que después deberá reproducir. El icono que muestra dos flechas permite, por su parte, obtener una nueva combinación.

7

| Seleccione una |
| Lugar de nacimiento de la madre |
| Mejor amigo de la infancia |
| Nombre de la primera mascota |
| Profesor favorito |
| Personaje histórico favorito |
| Ocupación del abuelo |

6

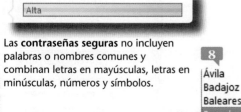

Las **contraseñas seguras** no incluyen palabras o nombres comunes y combinan letras en mayúsculas, letras en minúsculas, números y símbolos.

8

| Ávila |
| Badajoz |
| Baleares |
| Barcelona |
| Burgos |
| Cáceres |

9

Caracteres: P3UE4KWB

Escriba los 8 caracteres de la imagen

La introducción de estos **caracteres** es una medida de seguridad que evita que programas automatizados puedan crear cuentas y enviar correo electrónico no deseado.

Editar el perfil de la cuenta de Windows Live

TRAS CREAR LA CUENTA DE WINDOWS LIVE, se accede directamente a la primera sesión en la página principal, que cuenta con un diseño predeterminado pero completamente personalizable. Por defecto, esta página cuenta con accesos directos a las principales aplicaciones de la suite Windows live, como el correo, la creación de álbumes de fotos en línea, etc.

1. Al iniciar sesión con el identificador de Windows Live, la página principal muestra, en la esquina superior derecha, el nombre de usuario. Para empezar este ejercicio, veremos cómo cerrar e iniciar sesión en Windows Live. Pulse en el vínculo **Cerrar sesión** situado bajo el nombre de usuario.

2. Volvemos así a la página de inicio de Windows Live. Para iniciar sesión, escriba su **Windows Live ID** en el campo adecuado, pulse en el campo **Contraseña** e inserte ese dato.

3. Como ve, puede hacer que el sistema recuerde sus datos en este equipo, opción activada por defecto, y también la contraseña. Active también la opción **Recordar mi contraseña** y pulse el botón **Iniciar sesión**.

4. En la página principal de la sesión, pulse en el vínculo **Editar perfil**.

5. Se accede así a la página de detalles del perfil, en la que puede agregar información sobre usted. En primer lugar, haga clic

Bajo el **nombre de su perfil** se encuentran las opciones que permiten cambiar ese nombre y su imagen y para ver la cuenta o vincular otras cuentas.

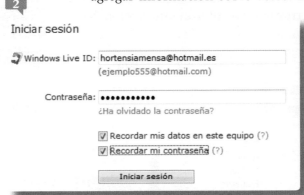

Si añadió una pregunta secreta al crear su cuenta, al pulsar en el vínculo **Ha olvidado la contraseña** deberá contestarla para recuperar su contraseña.

Por defecto, las cuentas de Windows Live se crean **sin imagen**.

en el vínculo **Modificar** del apartado **Nombre** y confirme que desea usar el nombre que introdujo al crear la cuenta como nombre para su perfil pulsando el botón **Guardar**.

6. Seguidamente, insertaremos una imagen identificativa. Pulse en el vínculo **Modificar** del apartado **Imagen**.

7. En la siguiente página, pulse el botón **Examinar** y, en el cuadro **Elegir archivos para cargar**, localice y seleccione la imagen que desea añadir a su perfil (puede usar la imagen de ejemplo **002-001.jpg** que encontrará en la zona de descargas de nuestra página Web) y pulse el botón **Abrir**.

8. Una vez insertada la foto, pulse el botón **Guardar**.

9. En los demás apartados puede agregar un mensaje personal para compartir con el resto de usuarios, añadir datos sobre su persona, crear listas con su música, sus libros y sus películas preferidos, especificar información inusual sobre usted e incluso agregar el nombre de su escuela y su lugar de trabajo para que otras personas puedan localizarlo. A modo de ejemplo, añadiremos una película favorita. Pulse en el vínculo **Películas** del apartado **Preferencias** y, para empezar a crear la lista, haga clic en el vínculo **Agregar película favorita**.

10. Ahora debe introducir el título de la película como dato obligatorio y otra información adicional. Escriba el título de su película favorita en el campo **Título** y pulse **Guardar**.

11. Ya tenemos una primera entrada en la lista. Pulse en el nombre de su perfil para volver a su página principal y compruebe que las novedades ya se han añadido. Recuerde que puede seguir editando su perfil si pulsa en el vínculo **Detalles**.

Arrastra o cambia el tamaño del cuadro para elegir el área de la imagen del perfil.

Guardar Cancelar

Si la imagen que ha escogido no se adapta al recuadro en el que se inserta, puede **arrastrarla** para centrarla o cambiar el tamaño del cuadro para elegir el área de la imagen del perfil.

Perfil de Hortensia

Detalles

Fotos

Fotos de Hortensia

Red

SkyDrive

Agregar película favorita

Para buscar una imagen de esta película, escribe su título y haz clic en Buscar.

*Título: Lo que el viento se llevó
Dirección web:
Por qué me encanta esta película:

* Información obligatoria

Imagen actual

Buscar

Borrar imagen

Guardar   Cancelar

Pulse el botón **Buscar** del cuadro Agregar película favorita para añadir una imagen de su película favorita.

Personalizar la página principal de Windows Live

DE MANERA PREDETERMINADA, la página principal de Windows live muestra una serie de elementos y accesos a servicios (fecha, temperatura y tiempo, novedades, correo, noticias) distribuidos por la página. Es posible personalizar esa página cambiando esa distribución o modificando los elementos.

1. Puede acceder a la página principal de Windows Live desde cualquier otra página derivada pulsando sobre el vínculo **Windows Live.** Empezamos este ejercicio desde esa página principal. Pulse en el botón **Opciones** y haga clic en **Personalizar esta página.**

2. Nos dirigimos así a la página **Personalizar la página principal de Windows Live.** En primer lugar, buscaremos una nueva ubicación para el elemento **Tiempo.** Haga clic en el campo **Buscar nueva ubicación**, escriba el nombre de su ciudad y pulse el botón **Buscar.**

3. Elija la ubicación adecuada en la lista que se despliega.

4. Podemos mostrar la temperatura en grados **Centígrados** o en grados **Fahrenheit.** Mantenga la opción **Centígrados.** En el apartado **Diseño de página** podemos cambiar el orden en que se muestran los elementos en la columna principal y en la de la derecha. A modo de ejemplo, seleccione la opción **Trucos e ideas útiles** de la sección **Columna derecha** y pulse el botón de flecha hacia arriba para subir ese elemento.

Si el **idioma** seleccionado no es el español, aplíquelo marcándolo en la lista de idiomas.

Ubicación: Madrid, Comunidad de Madrid

Barcelona | Buscar

Barcelona, Cataluña / Catalunya
Barcelona, VEN
Sabadell, Cataluña / Catalunya
Uniontown, USA
Clayton, USA
Westfield, USA

Mostrar la temperatura en:
◉ Centígrados
◯ Fahrenheit

Columna principal
Correo
Novedades en tu red

Columna derecha
MSN
Trucos e ideas útiles

Subir

5. Cambiaremos algunas opciones del apartado **Número de elementos mostrados**. Haga clic en el botón de flecha del campo **Fotos** y elija la opción **Sólo uno**.

6. Ahora pulse en el vínculo **Agregar o quitar fotos**.

7. Un cuadro de diálogo nos pide confirmación para salir de esta página; no lo haremos sin antes guardar los cambios. Pulse el botón **Cancelar** de este cuadro  y haga clic en el botón **Guardar** de la página de personalización.

8. Vea cómo ha cambiado la ubicación. Haga clic de nuevo en el comando **Opciones**, elija **Personalizar esta página** y pulse de nuevo en el vínculo **Agregar o quitar fotos**.

9. Desde esta nueva página podemos agregar fotos a la página de inicio de nuestra cuenta. Haga clic en el vínculo **Seleccionar fotos de tu equipo**.

10. En el cuadro **Selecciona las fotos que vayas a cargar**, localice y abra la carpeta en la que se ubica la foto que desea cargar, selecciónela y pulse el botón **Abrir**. (Puede descargar nuestra imagen de ejemplo **003-001.jpg** y guardarla en su biblioteca Imágenes.) Una vez insertada la foto, pulse el botón **Cargar**.

11. Vuelva a la página principal de Windows Live usando su vínculo y elija la opción **Personalizar esta página** del botón **Opciones**.

12. Sólo falta establecer el número de mensajes de correo electrónico y de actualizaciones de novedades que queremos mostrar. Mantenga el valor **3** en el campo **Mensajes de correo electrónico**, pulse el botón de flecha del campo **Actualizaciones de novedades** y elija el valor **5**. Después, pulse el botón **Guardar** para acabar la personalización.

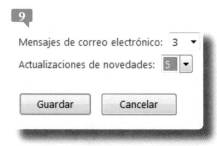

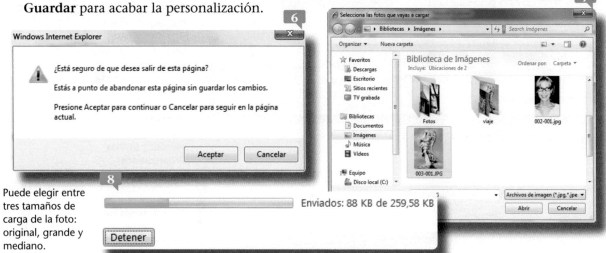

IMPORTANTE

Cambie también el **tema de fondo** de su página de inicio de Windows Live eligiendo uno de los **temas estándar** que encontrará en el botón **Opciones**.

Puede elegir entre tres tamaños de carga de la foto: original, grande y mediano.

Crear un espacio en Windows Live Spaces

CON WINDOWS LIVE SPACES podrá compartir sus historias y permanecer en contacto continuo con sus amigos, familiares y conocidos o, si lo desea, con la red global, que incluye ¡más de 100 millones de usuarios! Es un servicio de software gratuito en línea que le permite escribir su propio blog, crear y compartir álbumes de fotos, y conectarse con personas de todo el mundo en un espacio virtual completamente personalizable.

1. Para iniciar la creación de un espacio en Windows Live Spaces, haga clic en el comando **Más** de la cabecera de la página principal de Windows Live y pulse en la opción **Spaces**.

2. En la siguiente página, pulse en el vínculo **Crear tu espacio**.

3. Desde la página del espacio puede añadir nuevos elementos y modificar los existentes y su diseño. Los datos correspondientes a su dirección Web y a su perfil son los que estableció al crear la cuenta de Windows Live. Vamos a empezar agregando una entrada de blog. Pulse en el vínculo **Agregar entrada de blog** del apartado **Te damos la bienvenida a tu espacio**.

4. Accedemos a la página de creación de blogs. En el campo **Título (obligatorio)**, escriba un título para su primera entrada.

5. Pulse en el botón de punta de flecha del campo **Categoría** y elija el tema correspondiente a su entrada.

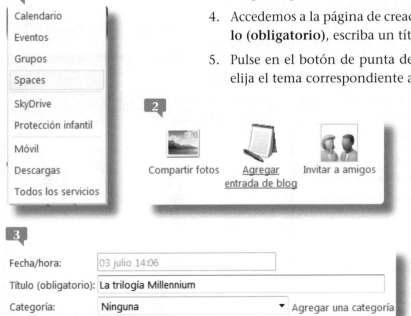

Si no encuentra la categoría que le interesa en esta lista, puede crearla pulsando en el vínculo **Agregar una categoría**.

6. Ahora sólo tiene que escribir el texto y agregar, si lo desea, fotos, vídeos, hipervínculos, iconos, etc. Escriba un texto de ejemplo en el cuadro de texto.

7. Utilizando las herramientas de edición puede cambiar las propiedades de la fuente y de los párrafos. Seleccione todo el texto que ha escrito, pulse en el botón **Estilo de la fuente** y elija, por ejemplo, la fuente **Tahoma**.

8. Para cambiar el color de la fuente, pulse en el icono **Color de fuente**, que muestra una A subrayada en rojo, y elija una de las muestras de la paleta. 5

9. Para acabar con la edición de la entrada de blog, deseleccione el texto pulsando al final de él, haga clic en el icono **Iconos gestuales**, el penúltimo de la **Barra de herramientas** del blog y elija uno de los emoticonos disponibles. 6

10. Pulse en el comando **Publicar entrada**.

11. Automáticamente aparece la nueva entrada en la sección **Blog** de su espacio. Para acabar, agregaremos una lista a nuestro espacio. Pulse en el vínculo **Agregar una lista**.

12. Seleccione la opción **Música** en el apartado **Tipo de lista**. 7

13. Pulse en el campo **Título** y escriba **Canciones favoritas**.

14. Si lo desea, complete el campo **Descripción** escribiendo una breve descripción del contenido de la lista que va a crear. Después, pulse el botón **Guardar**.

15. Ahora sólo tiene que agregar las canciones y, si quiere, sus intérpretes. Rellene algunos de los elementos de la lista 8 y pulse el botón **Siguiente**.

16. Para acabar este ejercicio, pulse en el vínculo correspondiente a su espacio.

5

Borrar colores
Más colores
#953734

6

Decepcionado

7

Tipo de lista:

Personalizado   Música   Libro   Película

8

Tu lista se ha creado.

Agrega un máximo de 10 canciones e intérpretes. Más tarde podrás agregar más canciones y otros detalles.

Canción: So Lonely   Intérprete: The Police

Canción: What's the frequency Kenr   Intérprete: R.E.M

Canción: Fortress around your hear   Intérprete: Sting

Canción: El indio   Intérprete: Facto Delafé y las flores a

Personalizar el espacio en Windows Live Spaces

TRAS CREAR SU ESPACIO EN EL SITIO WEB de Windows Live Spaces, puede personalizarlo para que refleje su personalidad. Puede modificar fácilmente el título y el subtítulo de su espacio, cambiar la distribución y el diseño de los diferentes módulos e incluso añadir una imagen de fondo.

1. Empezamos este ejercicio desde su página principal de Windows Live. En primer lugar, pulse en el vínculo **Perfil** y, en la siguiente página, haga clic en el vínculo **Espacio**  para acceder a su espacio.

2. Uno de los muchos elementos configurables de un espacio de Windows Live es el título. Pulse en el vinculo **Modificar** de la sección que muestra el título de su espacio.

3. Puede utilizar su título y subtítulo para identificarse, expresar cómo se siente o escribir su cita favorita. En el cuadro que se ha abierto, puede escribir un título y un subtítulo nuevos y modificar su estilo, su tamaño, su color de fuente y su alineación. A modo de ejemplo, pulse en el botón de flecha del campo **Fuente** y elija la opción **Verdana**.

4. Cambiaremos también el color de la fuente. Pulse en la muestra de color azul oscuro del apartado **Color**.

5. Puede ir comprobando el resultado de las modificaciones en la sección **Vista previa**. Seguidamente, añadiremos un subtí-

tulo a nuestro espacio. Haga clic en el campo **Texto** del apartado **Configuración del subtítulo** y escriba, por ejemplo, la expresión **Carpe diem**.

6. Aplique al subtítulo el color verde claro y, manteniendo el resto de opciones tal y como se muestran por defecto, pulse el botón **Guardar**.

7. Una vez modificado el título, pulse en el botón **Personalizar** y haga clic en la opción **Cambiar el tema**.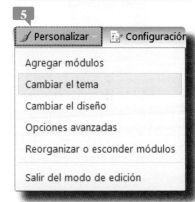

8. Los temas son los colores, las fuentes y las imágenes de fondo predefinidos que se pueden agregar a un espacio. Como ve, Windows Live nos ofrece una gran cantidad de temas organizados por categorías. Pulse, por ejemplo, en la categoría **Arte** y elija uno de los temas disponibles.

9. Una vez aplicado el nuevo tema, pulse el botón **Cerrar ficha**.

10. Pulse ahora en el vínculo **Módulos**.

11. En la pantalla **Módulos**, se listan los elementos que puede mostrar en su espacio. Vamos a mostrar el **Libro de visitas**. Haga clic en el botón **Mostrar** de ese elemento.

12. De este modo puede ir mostrando u ocultando los módulos que desee. Pulse el botón **Cerrar ficha**.

13. Ahora pulse en el vínculo **Diseño** para mostrar la cantidad y el tamaño de las columnas de su espacio, elija, por ejemplo, el tercero de la segunda fila y pulse el botón **Cerrar ficha**.

14. Por último, cambiaremos el color del texto. Pulse en el vínculo **Avanzada**, elija la muestra azul oscuro en el apartado **Texto** y pulse el botón **Cerrar ficha**.

15. Para dar por acabado este ejercicio aplicando las modificaciones realizadas pulse el botón **Guardar**.

005

5

El menú **Personalizar** muestra una lista de opciones para personalizar su espacio.

6

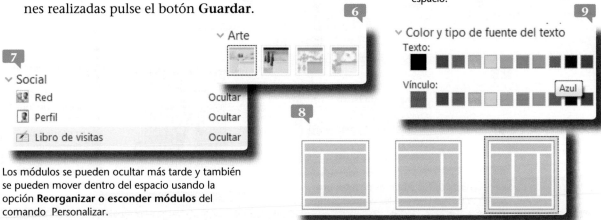

7

Los módulos se pueden ocultar más tarde y también se pueden mover dentro del espacio usando la opción **Reorganizar o esconder módulos** del comando Personalizar.

8

9

Crear un álbum de fotos en Windows Live Spaces

Vacaciones en Estocolmo

CON WINDOWS LIVE SPACES ES RÁPIDO y sencillo compartir y comentar sus fotografías con sus amigos y con todas aquellas personas que tengan permiso para acceder a su espacio.

1. En este ejercicio veremos lo fácil que resulta crear un álbum de fotos para compartir con otros usuarios en Windows Live Spaces. Nos encontramos en la página principal de nuestro espacio. Pulse en el vínculo **Compartir fotos**. 🔳

2. Se abre así su página de fotos, mostrando la que ha añadido a su página de inicio de Windows Live. Por defecto esta foto no está compartida, lo que queda indicado por el icono de candado. Pulse en el vínculo **Crear álbum**. 🔳

3. En la siguiente página debe establecer un nombre para el álbum e indicar con quién desea compartirlo. En el campo **Nombre** escriba un título para su álbum.

4. Pulse en el botón de flecha del campo **Compartir con** y elija la opción **Mi red**. 🔳

5. Pulse el botón **Siguiente**.

6. Para agregar fotos al álbum puede arrastrarlas desde la carpeta en que se encuentran hasta el espacio **Colocar fotos aquí** o bien buscarlas en el equipo o en un álbum existente. Pulse en el vínculo **Seleccionar fotos de tu equipo**.

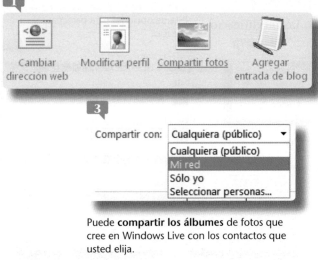

Puede **compartir los álbumes** de fotos que cree en Windows Live con los contactos que usted elija.

Fotos de la página de inicio

Si pulsa sobre la foto agregada como **foto de la página de inicio** podrá cambiar su propiedad compartido con para poder compartirla con otros usuarios.

7. Para llevar a cabo este ejercicio, cree una carpeta en el elemento **Imágenes** con el nombre **Vacaciones en Estocolmo** y guarde en ella las imágenes de ejemplo comprendidas entre la **006-001** y la **006-007** que encontrará en nuestra zona de descargas. (Lógicamente, puede usar sus propias fotos o las de muestra de Windows si lo prefiere.) Abra con un doble clic la carpeta en cuestión y después seleccione todas las imágenes que contiene ayudándose de la tecla **Mayúsculas** y pulse el botón **Abrir**.

8. Automáticamente aparecen las miniaturas de las imágenes que ha añadido al álbum. En la parte superior de la página puede ver el número de elementos listos para cargar y su tamaño total. Antes de cargarlos, cambiaremos su tamaño de carga. Pulse el botón de flecha del campo **Tamaño de carga de foto** y elija la opción **Mediano (600 px)**.

9. Compruebe cómo se reduce el tamaño total de las fotos. Si desea quitar alguna, sólo tiene que pulsar su botón de aspa. Elimine de la lista de carga la tercera foto, por ejemplo.

10. Pulse el botón **Cargar**.

11. Una barra de progreso nos informa del estado del proceso, que puede cancelar en cualquier momento pulsando el botón **Detener**.

12. Las imágenes se han cargado correctamente. Pulse en el vínculo **Presentación** y utilice los controles de la parte inferior de la pantalla para reproducirlas. Al acabar, vuelva a la **página principal de Windows Live** pulsando en su vínculo.

Enviados: 99,21 KB de 361,87 KB

Añadir contactos en Windows Live

PARA MANTENERSE EN CONTACTO CON SUS AMIGOS y familiares y también para conocer a gente nueva, puede agregar personas a su red en Windows Live. Al pulsar en el vínculo Contactos se accede a la página desde la que es posible añadir nuevos contactos y administrar los ya existentes.

1. En la página principal de Windows Live, con la sesión iniciada, pulse en el vínculo **Contactos**. 🔲

2. Se accede así a la página **Gente**, desde la que puede gestionar y localizar a sus contactos. Puede usar el vínculo Importar contactos para importar una libreta de direcciones que tenga almacenada en su equipo. Pulse en el vínculo **Nuevo**.

3. Ahora debemos editar los detalles del contacto y agregar información de diferentes tipos sobre el mismo. Haga clic en el campo **Nombre** y escriba el nombre **Marcos**.

4. Recuerde que puede añadir sus propios contactos reales si lo prefiere. Pulse en el campo **Apellidos** y escriba los apellidos **Sala Mora**. 🔲

5. No es necesario que rellene todos los campos del formulario, pero hay algunos que sí son imprescindibles para que pueda comunicarse con el contacto. Haga clic en el campo

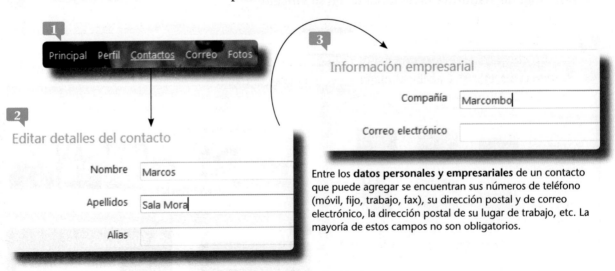

Entre los **datos personales y empresariales** de un contacto que puede agregar se encuentran sus números de teléfono (móvil, fijo, trabajo, fax), su dirección postal y de correo electrónico, la dirección postal de su lugar de trabajo, etc. La mayoría de estos campos no son obligatorios.

Correo electrónico y escriba la siguiente dirección ficticia: **marcossm6@hotmail.com.**

6. Haga clic en el campo **Ciudad**, escriba el nombre **Barcelona** y después complete el campo **País** con la palabra **España**.

7. Pulse la parte inferior de la **Barra de desplazamiento vertical** para ver los datos correspondientes a la información empresarial de su contacto que puede añadir y complete, a modo de ejemplo, el campo **Compañía** con el término **Marcombo**.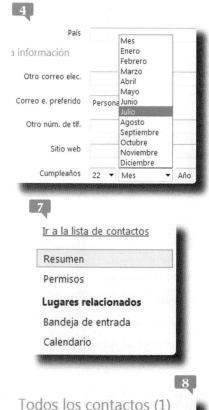

8. Por último, agregaremos la fecha de nacimiento de nuestro contacto en el apartado **Otra información**. Desplácese hacia la parte inferior de la página hasta visualizar ese apartado.

9. Pulse en el campo **Día** de la sección **Cumpleaños** y elija, por ejemplo, el día **22**.

10. Seleccione el mes de **julio** en el campo **Mes** y el año **1974** en el campo **Año** y pulse el botón **Guardar**.

11. Aparecen así los detalles del nuevo contacto. Ahora puede enviarle un mensaje rápido por correo electrónico, editar su información, eliminarlo o clasificarlo en una categoría. Supongamos que nuestro contacto es un amigo y queremos clasificarlo como tal. Pulse en el vínculo **Categorías** y pulse en la opción **Nueva categoría**.

12. En el campo **Nombre** de la ventana **Nueva categoría** escriba el término **Amigos** y, tras comprobar que el contacto se encuentra en el apartado **Miembros**, pulse el botón **Guardar**.

13. De este modo puede ir completando su lista de contactos con las direcciones de sus amigos y familiares para que formen parte de su red de Windows Live. Pulse en el vínculo **Ir a la lista de contactos** para comprobar que su nuevo contacto ya aparece en ella y acabe el ejercicio volviendo a la página principal de Windows Live.

Tras crear la nueva categoría, compruebe que ésta se muestra en el botón **Categorías**, junto a la categoría predeterminada Favoritos.

Cuando su lista de contactos sea muy extensa, use el cuadro de **búsqueda** para localizarlos rápidamente.

SkyDrive: el espacio de almacenamiento de Live

WINDOWS LIVE OFRECE 25 GB DE ALMACENAMIENTO gratuito para que pueda guardar y compartir sus archivos y fotografías con usuarios de todas partes del mundo. Ese espacio en la Red se denomina SkyDrive y le permite acceder a sus archivos en línea desde su casa, desde el trabajo o estando de viaje.

1. En este ejercicio queremos mostrarle la enorme utilidad de SkyDrive, el espacio de almacenamiento de Windows Live. Para acceder a este espacio, pulse en el vínculo **Más** de la página principal de Windows Live y elija la opción **SkyDrive**.

2. Como puede ver, dispone de 25 GB de espacio para que guarde todo tipo de archivos en línea. A medida que vaya almacenando documentos, fotos, etc., el sistema le irá indicando el espacio ocupado y el libre. En este ejemplo, nuestro espacio SkyDrive está únicamente ocupado por las fotografías que hemos agregado en ejercicios anteriores. A modo de ejemplo, vamos a añadir un archivo a la carpeta de documentos y modificaremos sus propiedades para que pase a estar compartida. Haga clic sobre la carpeta **Documentos** y pulse en el vínculo **Agregar archivos**.

3. Al igual que ocurre al crear álbumes de fotos, puede colocar directamente los archivos que desee agregar a la carpeta arras-

También dispone de un **acceso a SkyDrive** en la sección de elementos de la página de su perfil.

24,99 GB de 25 GB disponibles

Windows Live SkyDrive forma parte de la red de servicios de Windows Live. Permite a los usuarios **subir archivos de un equipo** y guardarlos, a modo de un disco duro virtual para poder acceder a ellos desde un navegador Web.

Carpetas recientes

Vacaciones en Estocolmo — Fotos de la página de — Documentos — Favoritos — Favoritos compartidos

Por defecto, el espacio de almacenamiento SkyDrive cuenta con tres carpetas: **Documentos**, **Favoritos** y **Favoritos compartidos**. De éstas, sólo la última está compartida.

trándolos desde su ubicación original hasta el espacio destinado a ello o bien seleccionar los archivos en el equipo. En este ejemplo, utilizaremos el documento de Word **Ejemplo1.docx**, que puede encontrar en nuestra zona de descargas y guardar en su biblioteca **Documentos**, pero, como ya sabe, puede usar sus propios archivos si lo desea. Haga clic en el vínculo **Seleccionar archivos de tu equipo**.

4. Acceda a su biblioteca **Documentos** pulsando sobre ella en el **Panel de navegación** del cuadro **Selecciona los archivos que vayas a cargar**.

5. Localice y seleccione el documento **Ejemplo1.docx** (o el que quiera agregar) y pulse el botón **Abrir**.

6. De este modo tan sencillo puede ir agregando los archivos que quiera guardar en SkyDrive para poder acceder a ellos desde cualquier ubicación. Para eliminarlos de este espacio, sólo tiene que pulsar en su botón de aspa.  Pulse el botón **Cargar**.

7. Seguidamente cambiaremos los permisos de acceso a esta carpeta. Pulse en el vínculo **Más** y haga clic en la opción **Modificar permisos**.

8. Como ve, la carpeta no está compartida. Active la opción **Mi red** pulsando en su casilla de verificación para que la carpeta quede compartida con los usuarios de su red y pulse **Guardar**.

9. Pulse de nuevo en el vínculo **Más** y elija **Propiedades**.

10. En el campo **Agregar una descripción**, escriba el término de ejemplo **Documentos compartidos** y pulse **Guardar**.

11. Para acabar, vuelva al sitio principal de SkyDrive pulsando en su vínculo y compruebe que el icono de la carpeta **Documentos** indica que ahora está compartida.

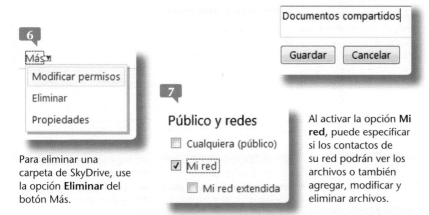

6 Para eliminar una carpeta de SkyDrive, use la opción **Eliminar** del botón Más.

7 Al activar la opción **Mi red**, puede especificar si los contactos de su red podrán ver los archivos o también agregar, modificar y eliminar archivos.

Descargar Windows Live Essentials

EL MAGNÍFICO PAQUETE DE APLICACIONES Windows Live Essentials incluye siete programas completamente gratuitos de Windows Live que le permitirán estar en contacto permanente con otras personas, gestionar su correo electrónico, crear blogs, editar y compartir fotos, proteger a sus hijos en Internet, realizar búsquedas y crear películas.

1. En este ejercicio le mostraremos el sencillo proceso que debe seguir para descargar en su equipo el fantástico paquete de aplicaciones online Windows Live Essentials, de Microsoft. Para empezar, en la **Barra de direcciones** del navegador escriba la dirección **http://download.live.com** 🗨 y pulse **Retorno**.

2. Accedemos así a la página de descarga de este paquete de programas que ofrece mensajería instantánea y correo electrónico, gestión de fotos y películas, elaboración de blogs y protección y navegación por la Web. Compruebe que está seleccionado el idioma **Español** y pulse el botón **Descargar**. 🗨

3. En el cuadro **Advertencia de seguridad de Descarga de archivos**, pulse el botón **Ejecutar**. 🗨

Al descargar **Windows Live Essentials**, puede instalar todos los programas que componen el paquete de una vez o sólo los que elija.

Puede optar entre **ejecutar** directamente el archivo de instalación del paquete Windows Live Essentials o bien **almacenarlo** en su equipo para instalarlo más tarde.

4. Si tiene activado el **Control de cuentas de usuario** en Windows, pulse el botón **Sí** del cuadro de diálogo que aparece.

5. En el cuadro de instalación que se abre podemos elegir los programas de la suite que queremos instalar en nuestro equipo. Active todos los programas excepto Microsoft Office Outlook Connector, Microsoft Office Live Add-in y Silverlight 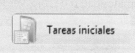 y, tras comprobar que su equipo cuenta con el espacio necesario, pulse el botón **Instalar**.

6. El sistema nos informa de que es necesario cerrar Internet Explorer para continuar con la instalación. Deje activada la opción **Cerrar estos programas por mí** y pulse **Continuar**.

7. Se inicia así el proceso de instalación, que durará unos minutos y que podemos controlar gracias a la **Barra de progreso**. Mantenga la configuración tal y como aparece por defecto en el asistente y pulse el botón **Continuar**.

Los programas se han almacenado en la carpeta **Windows Live** del menú **Inicio**. En el caso de que no disponga de una cuenta de Windows Live como la que hemos configurado en ejercicios anteriores, el sistema le informaría de que debe tener una para sacarles el máximo partido. Puesto que no es nuestro caso, podemos dar por acabado el ejercicio en este punto, cuando se encuentra abierta en el navegador la página principal de MSN en España.

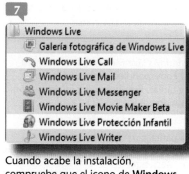
En el comando **Tareas iniciales** del menú Inicio de Windows 7 dispone de un acceso directo para descargar Windows Live Essentials.

Tareas iniciales

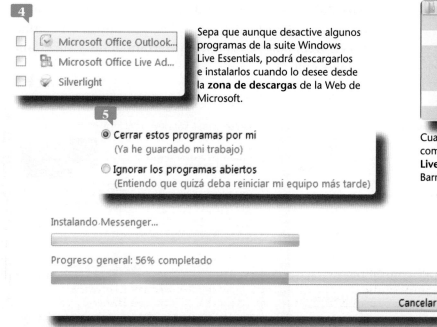

Sepa que aunque desactive algunos programas de la suite Windows Live Essentials, podrá descargarlos e instalarlos cuando lo desee desde la **zona de descargas** de la Web de Microsoft.

Cuando acabe la instalación, compruebe que el icono de **Windows Live Messenger** se ha añadido a la Barra de tareas.

Con la configuración por defecto, Windows Live será el **proveedor de búsqueda** por defecto y MSN la página principal del navegador.

Cambiar el fondo de Windows Live Messenger

WINDOWS LIVE MESSENGER tiene todo lo mejor de Messenger, la red de mensajería instantánea más conocida del mundo, y además, nuevas y mejoradas funciones que le permitirán contactar y conversar con amigos de todas partes del planeta, compartir todo tipo de archivos (fotos, documentos, canciones...) e incluso comunicarse por voz y realizar llamadas de PC a PC o a teléfonos.

1. En este primer ejercicio dedicado a Windows Live Messenger le mostraremos la manera de personalizar el fondo de la aplicación. Para empezar, pulse en el botón **Iniciar**, haga clic en el elemento **Todos los programas**, abra la carpeta **Windows Live** y pulse en la opción **Windows Live Messenger**.

2. Puesto que ya contamos con un ID de Windows Live y con su correspondiente contraseña, estos datos aparecen ya en la ventana principal del programa. Pulse el botón **Iniciar sesión**.

3. Al acceder por primera vez a Windows Live Messenger se abre la ventana de bienvenida **Paseo por Windows Live Messenger**. Ciérrela pulsando el botón de aspa de su **Barra de título**.

4. Para cambiar el fondo de la aplicación, también denominado escena, debemos acudir al menú Herramientas. Pulse en el último icono de los situados junto al campo **Buscar en contactos o en web**, pulse en la opción **Herramientas** y elija **Cambiar la escena**.

Cuando acceda por primera vez a Windows Live Messenger, se colocará su correspondiente icono en la Barra de tareas. Siempre podrá **iniciar sesión** usando ese icono.

La pantalla de inicio de sesión de Messenger le permite establecer que el sistema **recuerde tanto la cuenta como la contraseña** para no tener que escribirlas cada vez. Además, puede hacer que se inicie automáticamente la sesión al abrir Windows.

5. El cuadro **Escena** ofrece una serie de escenas predeterminadas además de diferentes combinaciones de colores, que serán las que verán nuestros contactos cuando conversemos con ellos. El botón **Examinar** de este cuadro le permite aplicar como fondo una imagen que tenga almacenada en su equipo. Pulse ese botón. 5

6. Usaremos una de las imágenes de muestra que ofrece Windows 7. Desplácese por el cuadro **Seleccionar la imagen de una escena** hasta localizar la carpeta **Imágenes de muestra**, ábrala con un doble clic, elija, por ejemplo, la imagen **Tulipanes.jpg** 6 y pulse el botón **Abrir**.

7. Ahora pulse en la combinación de colores **Sol**, representada por la muestra de color amarillo del apartado **Seleccionar una combinación de colores** 7 y pulse los botones **Aplicar** y **Aceptar**.

8. Vea cómo cambia el fondo de la ventana de Messenger. Aplicaremos ahora una de las escenas predeterminadas. Sitúe el puntero del ratón en la esquina superior derecha de la sección que muestra su nombre y su estado para ver aparecer el icono **Cambiar la escena** y pulse sobre él. 8

9. También así accedemos al cuadro **Escena**, donde se muestra seleccionado el fondo que hemos aplicado. Use la **Barra de desplazamiento vertical** para ver todas las escenas predeterminadas y elija la que más le guste. 9

10. Mantenga la combinación de colores predeterminada para esa escena y acabe el ejercicio pulsando los botones **Aplicar** y **Aceptar** para cambiar la escena.

Pingüinos.jpg   Tulipanes.jpg

Puede aplicar como fondo de Messenger cualquier **imagen** que tenga almacenada en su equipo.

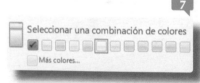

Al aplicar una imagen propia como escena para Messenger se añade una nueva **combinación de colores**.

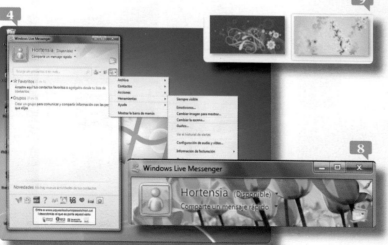

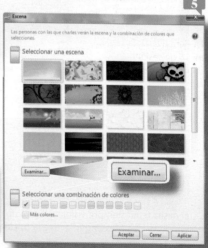

Cambiar la imagen para mostrar de Messenger

DE MANERA PREDETERMINADA, cuando se accede por primera vez a Windows Live Messenger, la cuenta no muestra ninguna imagen asociada, por lo que nuestros contactos sólo verán un icono predeterminado con una silueta. Para mostrar una imagen, hay que acceder al cuadro Imagen para mostrar.

1. Empezamos este ejercicio en la ventana principal de Windows Live Messenger, con la sesión iniciada. Haga clic en el icono **Mostrar menú**, el tercero de los situados junto al campo Buscar en contactos o en web, pulse en la opción **Herramientas** y elija **Cambiar imagen para mostrar**.

2. En el cuadro **Imagen para mostrar** podemos elegir entre las divertidas imágenes predeterminadas que nos ofrece Messenger o bien aplicar una imagen tomada con la cámara Web (para lo que necesitará tener una conectada, claro está) o una de las imágenes que tenga almacenadas en el equipo. Primero aplicaremos una de las imágenes denominadas **normales**. Elija, por ejemplo, la imagen **Tenis**, la segunda de la segunda fila y pulse el botón **Aceptar**.

3. Sencillo, ¿verdad? Ya puede ver su imagen para mostrar en la ventana principal de Messenger. Para acceder al cuadro Ima-

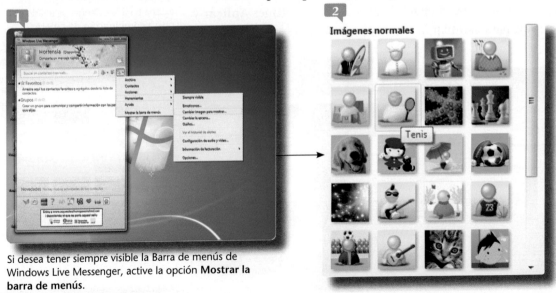

Si desea tener siempre visible la Barra de menús de Windows Live Messenger, active la opción **Mostrar la barra de menús**.

gen para mostrar también puede pulsar sobre la imagen o bien elegir esa opción en el menú incluido en la etiqueta que muestra su nombre y su estado. Haga clic en esa etiqueta y pulse en la opción **Cambiar imagen para mostrar**. 3

4. Vamos a elegir ahora como imagen para mostrar la que utilizamos en su momento como imagen personal de ejemplo para nuestra cuenta de Windows Live (recuerde que puede encontrarla en nuestra zona de descargas y que puede usar otra si lo desea.) Pulse el botón **Examinar**. 4

5. En el cuadro **Seleccionar una imagen para mostrar**, desplácese con ayuda de la **Barra de desplazamiento vertical** hasta localizar la imagen **002-001.jpg** (que en principio debería haber guardado en su biblioteca de imágenes) o la que vaya a utilizar como imagen para mostrar y pulse el botón **Abrir**. 5

6. Si no quiere mostrar su imagen ni permitir que otros usuarios la vean, deberá acceder al cuadro de opciones de Windows Live Messenger. Pulse el botón **Mostrar menú**, haga clic en el comando **Herramientas** y elija **Opciones**.

7. En la categoría **Personal** de este cuadro se incluye la sección **Imagen para mostrar**, desde la que también puede cambiar su imagen. Desactivando la opción **Mostrar mi imagen y permitir que otros la vean** ocultará su imagen para mostrar. En este caso, dejaremos esta opción activada y aprovecharemos para añadir un mensaje personal. Pulse en el campo **Escribe un mensaje personal que tus contactos puedan ver** y escriba la frase de ejemplo **Tempus fugit**. 6

8. Pulse los botones **Aplicar** y **Aceptar** y vea cómo la frase aparece ya bajo su nombre en la ventana principal de Messenger.

Pulsando el botón **Quitar** puede eliminar de la lista de imágenes para mostrar la imagen seleccionada en estos momentos.

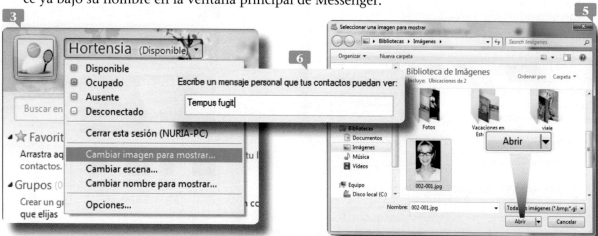

35

Configurar otras opciones de Messenger

ADEMÁS DE LA ESCENA Y DE LA IMAGEN para mostrar, puede personalizar otras muchas opciones de Windows Live Messenger, como su estado, el modo de inicio de sesión, la configuración general de los mensajes y las alertas, etc. La mayoría de estas acciones se llevan a cabo desde el cuadro Opciones.

1. Por defecto, al iniciar sesión en Windows Live Messenger, nuestro estado es **Conectado**. Puede cambiar esta particularidad desde la ventana de inicio de sesión. Pulse en la etiqueta que muestra su nombre y su estado y elija **Cerrar esta sesión**.

2. En la ventana de inicio de sesión, haga clic en el botón **Disponible** y elija, por ejemplo, la opción **Ocupado**.

3. Éste será el estado que verán sus contactos cuando inicie sesión. Pulse el botón **Iniciar sesión**.

4. Un cuadro de advertencia nos informa de que nuestro estado actual es **Ocupado** y nos permite cambiarlo a **Conectado**. Active la opción **No volver a mostrarme este mensaje otra vez** y pulse el botón **No** del cuadro de advertencia.

5. También por defecto, al iniciar sesión se abre la ventana **Hoy**. Vamos a modificar este parámetro. Cierre esta ventana pulsando el botón de aspa de su **Barra de título**.

6. Pulse el icono **Mostrar menú**, haga clic en **Herramientas** y elija **Opciones**.

El **estado** que elija se mostrará junto a su nombre al iniciar la sesión en Messenger. Podrá cambiarlo en cualquier momento.

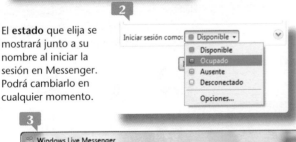

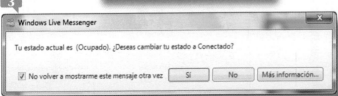

7. Active la categoría **Iniciar sesión** del cuadro **Opciones**. [5]

8. En la sección **General** se encuentran varias opciones relativas al comportamiento de Windows Live Messenger al iniciar sesión. Desactive la opción **Mostrar Hoy en Windows Live cuando inicio sesión en Messenger**. [6]

9. Seguidamente, cambiaremos el tiempo que esperará la aplicación antes de cambiar nuestro estado a **Ausente**. Active la categoría **Personal**.

10. Haga doble clic en el campo de texto de la opción **Mostrarme como "Ausente" si estoy inactivo 20 minutos** y cambie este valor por **15**. [7]

11. Como ve, son muchas las opciones de Windows Live Messenger que puede configurar según sus preferencias. Para acabar este ejercicio, comprobaremos cuáles son las opciones configurables en las categorías **Alertas** y **Sonidos**. Pulse en la primera.

12. Messenger mostrará alertas cuando los contactos inicien sesión y cuando recibamos un mensaje instantáneo o de correo electrónico, entre otras acciones. Desactive la opción **Mostrar alertas cuando reciba un mensaje de correo electrónico**. [8]

13. Sitúese ahora en la categoría **Sonidos**.

14. En esta ficha se listan todos los sonidos asociados por defecto a las diferentes acciones de Windows Live Messenger. A modo de ejemplo, pulse en el botón **Nuevo mensaje instantáneo** y, tras comprobar que tiene asignado por defecto el sonido **Predeterminado**, elija de la lista el sonido **Alienígena**. [9]

15. Para acabar, aplique los cambios pulsando los botones **Aplicar** y **Aceptar**.

El cuadro **Opciones** incluye todas las opciones de configuración de Windows Live Messenger, agrupadas en diez categorías.

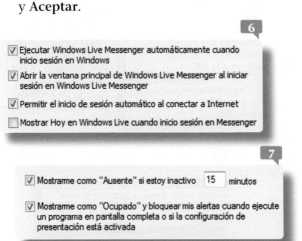

Use el botón **Agregar sonido** de la lista de sonidos para asignar a una acción un sonido que tenga guardado en su equipo.

Agregar contactos en Messenger

TRAS INICIAR SESIÓN EN WINDOWS LIVE MESSENGER y establecer sus principales opciones de visualización y comportamiento, llega el momento de agregar a sus contactos, las personas con las que desea comunicarse mediante mensajería instantánea.

1. Los contactos se pueden añadir siguiendo distintos procedimientos, todos ellos muy rápidos y sencillos: puede usar la opción **Agregar un contacto** incluida en el icono **Agregar un contacto o grupo**, o bien esa misma opción del comando **Contactos**. Pulse en el icono **Agregar un contacto o grupo**, el primero de los situados junto al campo Buscar en contactos o en web, y elija la opción **Agregar un contacto.** 🔳

2. Se abre de este modo la primera ventana del asistente para la adición de contactos. (Si recuerda los pasos que seguimos en su momento para añadir contactos en Windows Live, verá que el proceso es prácticamente idéntico en Messenger.) En primer lugar, escriba la dirección ficticia **marcossm6@hotmail.com** en el campo **Dirección de mensajería instantánea**.

3. Ahora indicaremos el número de dispositivo móvil. Pulse el botón **Selecciona el país o región** y localice y seleccione **España**. 🔳

4. Haga clic en el campo de texto correspondiente al **número del móvil** y escriba el número ficticio **123456789**.

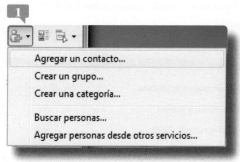

También puede importar una **lista de contactos de mensajería instantánea** que tenga almacenada en su equipo con el formato **.ctt**.

Más adelante veremos cómo agregar **categorías** (antes grupos).

Tenga en cuenta que para enviar un mensaje a un dispositivo móvil deberá adquirir el **servicio de mensajes para móvil** de Windows Live.

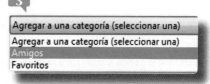

5. Pulse en el botón **Agregar una categoría (seleccionar una)**, elija **Amigos**  y pulse el botón **Siguiente**. (Recuerde que añadimos esta categoría en un ejercicio anterior; si no la tiene, puede pasar a la siguiente ventana del asistente sin especificar la categoría.)

6. Ahora puede enviar una invitación a su nuevo contacto para que la reciba al iniciar sesión en Messenger. Pulse en el campo **Incluir tu propio mensaje** y escriba el texto de ejemplo **Te he agregado a mis amigos para que estemos en contacto**.

7. Mantenga activada la opción por la cual el mensaje se enviará también a la dirección de correo electrónico del contacto por si éste aún no tiene Messenger y pulse el botón **Enviar invitación** para agregar el contacto y enviar la invitación.

8. Un nuevo cuadro nos informa de que el contacto se ha agregado correctamente y de que podemos agregarlo a nuestra página de perfil en línea (creada en lecciones anteriores). Pulse el botón **Cerrar** de este cuadro.

9. Compruebe que el nuevo contacto aparece ya en la categoría **Amigos** de la ventana principal de Messenger. Al situar el puntero del ratón sobre los contactos, puede ver una lista con algunas de las acciones que se pueden llevar a cabo. Comprúebelo y haga clic en la opción **Agregar a tu perfil**.

10. Se abre el navegador en la página **Agregar personas** de su perfil. Pulse el botón **Enviar invitación** y, una vez enviada, cierre el navegador pulsando el botón de aspa de su **Barra de título** para dar por acabado este sencillo ejercicio.

El **menú contextual de los contactos** también incluye las acciones que pueden llevarse a cabo con ellos.

Editar, eliminar y bloquear contactos

TRAS AGREGAR A SUS CONTACTOS, puede editarlos añadiendo información adicional, bloquearlos para que no puedan mantener conversaciones en línea con usted e incluso eliminarlos de su lista.

1. Empezamos en la página principal de Windows Live Messenger, con la sesión iniciada. En un proceso paralelo, agregue nuevos contactos a su lista para aumentar así las posibilidades de edición, bloqueo y eliminación. En primer lugar, seleccione el contacto agregado en el ejercicio anterior, cuya dirección ficticia es **marcossm6@hotmail.com**.

2. Haga clic sobre ese contacto con el botón derecho del ratón y elija la opción **Editar contacto** de su menú contextual.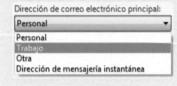

3. El cuadro **Modificar contacto** muestra diferentes opciones de edición distribuidas en cinco categorías. Pulse en el campo **Alias** de la categoría **General** y escriba, por ejemplo, el nombre **Marquitos**.

4. Pulse ahora en la categoría **Contacto**.

5. En esta sección podemos añadir el nombre del contacto, sus diferentes números de teléfono y sus direcciones de correo electrónico. Rellene los campos **Nombre** y **Apellidos** con el nombre **Marcos Sala Mora** y después escriba la dirección fic-

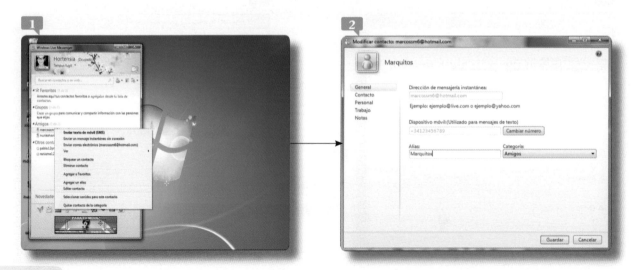

ticia **marcossm6@hotmail.com** en el campo **Dirección de correo electrónico personal.**

6. Acceda a la categoría **Personal**.

7. En esta categoría puede especificar los datos postales del contacto así como otra información adicional como su cumpleaños, el nombre de su pareja, su sitio Web, etc. A modo de ejemplo, haga clic en el campo **Ciudad** y escriba **Barcelona** y después pulse en el icono del campo **Cumpleaños** y localice y seleccione el día **22 de julio** en el calendario que aparece.

8. Haga clic en la categoría **Trabajo**.

9. Lógicamente, en esta categoría puede añadir información acerca del puesto de trabajo de su contacto (compañía, cargo, dirección, teléfono, fax, etc.). En el campo **Compañía** escriba, como ejemplo, el nombre **Marcombo**.

10. En la categoría **Notas** puede consultar o editar notas acerca de su contacto. Pulse el botón **Guardar**.

11. Pulse el icono **Mostrar menú**, haga clic en la opción **Contactos** y elija **Eliminar contacto**.

12. En el cuadro **Eliminar un contacto**, seleccione el contacto que desea borrar y pulse el botón **Aceptar**.

13. Windows Live Messenger nos permite bloquear el contacto y quitarlo también de los contactos de Windows Live Hotmail. Pulse el botón **Eliminar contacto** del cuadro que aparece.

14. Para bloquear un contacto, haga clic sobre él con el botón derecho del ratón y elija la opción **Bloquear un contacto**.

15. Al bloquear un contacto no podremos mantener conversaciones en línea con él. Pulse el botón **Aceptar** y, para acabar, vea cómo cambia el icono situado junto al nombre del contacto para indicar que se ha bloqueado.

Utilice los botones de flecha redondos para desplazarse por los **meses** en el calendario.

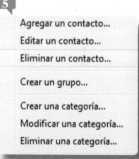

Para eliminar un contacto puede usar su menú contextual o el menú **Contactos**.

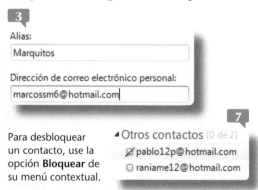

Para desbloquear un contacto, use la opción **Bloquear** de su menú contextual.

Cambiar el diseño de la lista de contactos

POR DEFECTO, LA LISTA DE CONTACTOS se muestra en la ventana principal de Windows Live Messenger organizada por categorías y grupos. En la sección Diseño del cuadro de opciones de la aplicación encontramos una serie de alternativas que permiten cambiar el diseño y la organización de la lista de contactos.

1. Para acceder directamente a la categoría **Diseño** del cuadro de opciones de Windows Live Messenger, pulse en el segundo de los iconos situados junto al campo **Buscar en contactos o en web**. [1]

2. En el primer apartado podemos elegir entre mostrar o no los favoritos, los grupos, la barra de fichas y la lista de Novedades. Desactive la opción **Mostrar favoritos** pulsando en su casilla de verificación. [2]

3. Como ve, al desactivar esta opción también queda desactivada la sección **Favoritos** del apartado **Lista de contactos**. Por defecto, el resto de contactos mostrarán sólo el estado. Para que veamos también su imagen para mostrar en tamaño pequeño, pulse en el botón de opción del tercer icono del apartado **Otros contactos**. [3]

4. Podemos etiquetar los contactos con su nombre para mostrar o con su nombre y apellidos y mostrar información de su estado en esas etiquetas. Mantenga la opción **Nombre para mos-**

1

Evidentemente, también puede acceder a la categoría Diseño del cuadro de opciones de Windows Live Messenger siguiendo la ruta de menú **Herramientas/Opciones** y activando después esa categoría.

La **barra de fichas** y la **lista Novedades** aparecen en la parte inferior de la ventana principal de Messenger.

2

3

Puede hacer que sus contactos muestren únicamente un icono que indica su estado o bien su **imagen para mostrar** en diferentes tamaños (pequeño, mediano y grande).

trar en el campo **Etiquetar contactos por** y active la opción **Mostrar información de estado en etiquetas**.

5. La organización de los contactos puede ser por categorías o por su estado en línea. Haga clic en el botón del campo **Organizar contactos por**, donde se muestra por defecto la opción **Categorías**, y elija la opción **Estado En línea**.

6. Las opciones relacionadas con la organización de los contactos por categorías desaparecen. Compruebe el resultado de las modificaciones pulsando los botones **Aplicar** y **Aceptar**.

7. Efectivamente, ahora nuestros contactos se muestran clasificados en conectados o no conectados. En el caso de contacto **Marquitos**, puesto que al agregarlo escribimos un número de móvil, el programa lo incluye en una categoría denominada **Móvil**. Vamos a eliminar esa información del contacto para que también se clasifique como disponible o desconectado, en función de su estado en línea. Haga clic con el botón derecho del ratón sobre el contacto **Marquitos** y elija la opción **Editar contacto** de su menú contextual.

8. Accedemos así a la categoría **General** del cuadro **Modificar contacto**, con el que ya hemos practicado antes. Haga clic en el botón **Cambiar número**.

9. El cuadro nos informa de que si modificamos el número es posible que no podamos enviar mensajes de texto a ese dispositivo móvil. Compruebe que el campo correspondiente al número del móvil está vacío y pulse el botón **Guardar**.

¡Correcto! Ya no se muestra la categoría **Móvil** y podemos ver todos nuestros contactos con su imagen para mostrar y su estado clasificados en **Disponibles** y **Desconectados**.

Compruebe que junto a la etiqueta con el nombre para mostrar del contacto aparece entre paréntesis, tal y como hemos establecido, su **estado**.

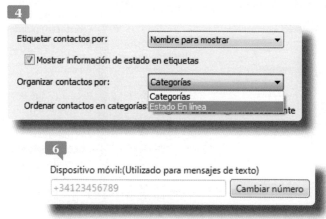

Agregar sonidos para los contactos de Messenger

COMO YA SE VIO EN UN EJERCICIO ANTERIOR, es posible personalizar los sonidos que reproduce Windows Live Messenger cuando se ejecutan determinadas acciones desde la categoría sonidos del cuadro de opciones del programa. Esa personalización también puede afectar a los contactos, ya que es posible elegir sonidos para un contacto determinado.

1. En este ejercicio le mostraremos cómo asignar un sonido predeterminado de Messenger para el inicio de sesión de uno de nuestros contactos y cómo asignar un sonido propio, que tengamos guardado en el equipo, para cuando ese contacto nos envíe un mensaje de correo electrónico. Para empezar, haga clic con el botón derecho del ratón sobre el contacto **Marquitos** que agregamos en un ejercicio anterior (o sobre cualquier otro contacto que tenga en su lista) y elija la opción **Seleccionar sonidos para este contacto** de su menú contextual. 🔲

1. Se abre así el cuadro **Sonidos para Marquitos**, en el que se listan todos los sonidos predeterminados de Messenger para dos acciones, el inicio de sesión y el envío de un mensaje de correo electrónico. Según lo establecido en la categoría Sonidos del cuadro de opciones de Messenger, al conectarse cualquier contacto se reproducirá un sonido predeterminado. Vamos a cambiar ese sonido para nuestro contacto **Marquitos**. Haga clic en el botón de opción **Guitarra eléctrica**. 🔲

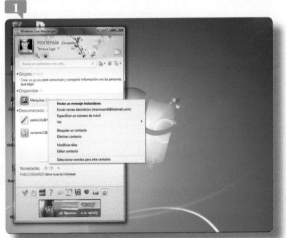

Desde el cuadro **Sonidos para (contacto)** puede personalizar los sonidos para un contacto concreto. Recuerde que la configuración de sonidos que efectúe en la categoría Sonidos del cuadro Opciones será genérica para todos ellos.

2. Para obtener una reproducción previa del sonido, pulse el icono **Reproducir ahora**.

3. Ahora agregaremos un sonido propio para que se reproduzca cuando este contacto nos envíe un mensaje de correo electrónico. Haga clic en la parte inferior de la **Barra de desplazamiento vertical** para ver la sección **Te envía un mensaje instantáneo** y pulse en el botón de flecha de la misma para desplegar la lista de sonidos.

4. Haga clic en el botón **Agregar sonido**.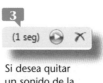

5. En el cuadro **Abrir**, que aparece mostrando por defecto el contenido de la carpeta **Mi música**, debemos localizar y seleccionar el archivo que queremos que se reproduzca. Puede usar el archivo de ejemplo **Salto.wav** que encontrará en nuestra zona de descargas o cualquier otro archivo de sonido que tenga guardado en su equipo. Seleccione ese archivo.

6. Puede cambiar la duración del sonido, que queda reflejada en la parte inferior del cuadro, así como el segmento del clip que desea reproducir. Para lo primero deberá arrastrar el marco del clip de sonido en la ventana que muestra la escala de tiempo y para lo segundo, deberá arrastrar la línea de tiempo hasta centrarla en el punto deseado. Además, puede añadir un efecto de fundido de entrada y de salida. Reduzca a **0,3 segundos** la duración del clip de sonido y obtenga una reproducción previa pulsando el botón **Reproducir**.

7. Pulse el botón **Listo** para añadir el sonido a la lista y después, desplácese por ella para localizarlo y actívelo pulsando en su botón de opción.

8. Para acabar, pulse el botón **Aceptar** del cuadro **Sonidos para Marquitos** para aplicar los sonidos personalizados.

3

(1 seg)

Si desea quitar un sonido de la lista, sólo tiene que pulsar el botón **Eliminar**, representado por un aspa roja.

5

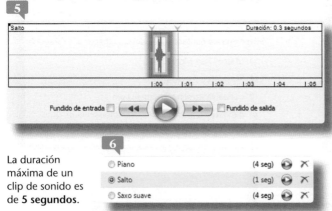

La duración máxima de un clip de sonido es de **5 segundos**.

Piano	(4 seg)		
Salto	(1 seg)		
Saxo suave	(4 seg)		

4

Inicia sesión		
Te envía un mensaje instantáneo		Agregar sonido
No elegir un sonido		
Alienígena	(1 seg)	
Bajo	(5 seg)	
Beso	(1 seg)	
Café de París	(5 seg)	
Gong	(2 seg)	
Guitarra eléctrica	(1 seg)	
Intro de la banda	(5 seg)	
Piano	(4 seg)	

Agregar contactos a la lista de Favoritos

LOS CONTACTOS FAVORITOS son aquellos con los que se comunica con más frecuencia. Si la categoría favoritos, independiente del resto, aparece en la ventana principal de Messenger, puede agregar contactos a la misma arrastrándolos hasta ella. En caso contrario, puede acceder al cuadro de modificación de la categoría para selecciona en él los contactos que desea agregar a ella.

1. Como recordará, en el ejercicio dedicado al cambio de diseño de la lista de contactos, ocultamos la categoría **Favoritos**. Por eso vamos a mostrarle, en primer lugar, cómo agregar contactos a esa categoría cuando no está visible. Pulse el botón **Mostrar menú** de la ventana principal de Messenger, haga clic en el comando **Contactos** y pulse en la opción **Modificar una categoría**.

2. En el cuadro **Modificar una categoría**, seleccione la categoría **Favoritos** y pulse el botón **Aceptar**.

3. En el siguiente cuadro puede cambiar el nombre de la categoría y elegir los contactos que desea agregar a la misma. Seleccione el contacto **Marquitos** y otro de sus contactos y pulse el botón **Guardar** para agregarlos a **Favoritos**.

4. El siguiente paso será mostrar la categoría **Favoritos** para comprobar que los contactos se han agregado correctamente. Pulse en el icono **Cambiar el diseño de la lista de contactos**.

3

Escribe un nombre de categoría:

Favoritos

Selecciona los contactos que desees agregar a la categoría:

☐ Marcos Sala Mora

☑ Marquitos (Disponible)

☐ nuriaalvarezmena@hotmail.com

☑ pablo12p@hotmail.com (Desconectado, Bloquea

☐ raniame12@hotmail.com (Desconectado)

Amigos

Favoritos

5. En el cuadro **Opciones**, haga clic en la casilla de verificación de la opción **Mostrar favoritos**  y pulse los botones **Aplicar** y **Aceptar**.

6. Efectivamente, ahora puede ver la categoría **Favoritos** con los contactos que ha añadido. Contraiga y expanda la categoría pulsando en su título.

7. Por defecto, los contactos Favoritos aparecen en la lista siguiendo el orden en que se agregan como tales. Puede cambiar ese orden utilizando las opciones **Subir** y **Bajar** del menú contextual de los contactos. Haga clic con el botón derecho del ratón sobre el contacto **Marquitos** y, de su menú contextual, elija la opción **Bajar**.

8. Cuando la categoría **Favoritos** está visible, resulta más fácil añadirle contactos, ya que sólo hay que arrastrarlos hasta ella. Pulse sobre uno de sus contactos y, sin soltar el botón del ratón, arrástrelo hasta la categoría **Favoritos**.

9. Sólo nos falta ver el modo de quitar contactos de esta categoría. Haga clic con el botón derecho del ratón sobre el contacto que quiera quitar de la lista de Favoritos y seleccione la opción **Quitar de Favoritos** de su menú contextual.

10. Para acabar, cambiaremos el diseño de la categoría Favoritos. Pulse en el icono **Cambiar el diseño de la lista de contactos**.

11. Para que los contactos de la categoría Favoritos se muestren únicamente con el icono de su estado, sin foto, active la última opción del apartado **Favoritos** y pulse los botones **Aplicar** y **Aceptar**.

También puede acceder al cuadro de **modificación** de la categoría Favoritos usando su menú contextual.

Crear categorías de contactos

LAS CATEGORÍAS SON LISTAS DE CONTACTOS establecidas por los usuarios para localizar y organizar más fácilmente sus contactos. Windows Live Messenger ofrece algunas categorías predeterminadas (como Favoritos), a las que el usuario puede añadir las que crea conveniente y modificarlas e incluso eliminarlas.

1. Para empezar, haga clic en el icono **Agregar un contacto o grupo** de la ventana principal de Windows Live Messenger y elija la opción **Crear una categoría.**

2. Un cuadro nos advierte de que vamos a crear una nueva categoría (antes denominada grupo) para organizar a nuestros contactos. Active la opción **No volver a mostrarme este mensaje otra vez** y pulse el botón **Aceptar.**

3. Se abre así el cuadro **Crear una categoría nueva**, en el que debemos definir el nombre de la categoría y los contactos que agregaremos a ella. En el campo **Escribe un nombre de categoría** escriba la palabra **Familia**.

4. Seleccione el contacto **Marquitos** y algún otro de sus contactos y pulse el botón **Guardar**.

5. Como puede ver, aunque antes habíamos activada la organización de contactos por estado (conectados y no conectados) ahora Windows Live Messenger cambia esta particularidad y

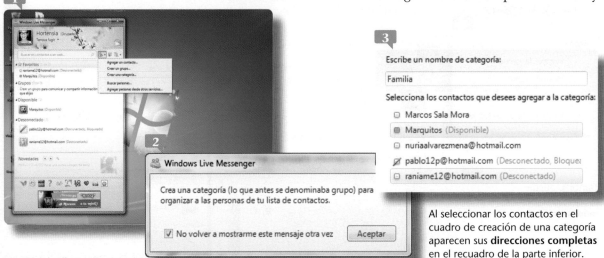

Al seleccionar los contactos en el cuadro de creación de una categoría aparecen sus **direcciones completas** en el recuadro de la parte inferior.

muestra a los contactos organizados por categorías. Los que no tienen una categoría asignada se agrupan bajo el epígrafe **Otros contactos**. Observe que nuestro contacto Marquitos está incluido en dos categorías: **Amigos**, creada en un ejercicio anterior y **Familia**. Veamos cómo quitarlo de una de ellas. Haga clic con el botón derecho del ratón sobre el contacto **Marquitos** incluido en la categoría **Amigos** y elija la opción **Quitar contacto de la categoría** de su menú contextual.

6. El contacto desaparece de la categoría. También es posible agregar contactos a una categoría arrastrándolos hasta ella. Arrastre el contacto **Marquitos** y el otro contacto que ha añadido a la categoría **Familia** hasta la categoría **Amigos**.

7. Ahora tenemos la categoría **Familia** sin ningún contacto. Veamos cómo modificarla y eliminarla. Pulse el icono **Mostrar menú**, haga clic en **Contactos** y elija **Modificar una categoría**.

8. En el cuadro **Modificar una categoría**, seleccione la categoría **Familia** y pulse el botón **Aceptar**.

9. De nuevo accedemos al cuadro **Modificar categoría** en el que podemos cambiar su nombre y los contactos incluidos en ella. Salga de este cuadro pulsando el botón **Cancelar**.

10. Por último, haga clic con el botón derecho del ratón sobre la categoría **Familia** y pulse en la opción **Eliminar categoría**.

11. Un cuadro de diálogo nos informa de que, en el caso de que la categoría incluya contactos, éstos se moverán a la categoría **Otros contactos** cuando confirmemos la eliminación. Pulse el botón **Aceptar** para eliminarla y acabar el ejercicio.

Puede cambiar el nombre de una categoría directamente en la ventana principal de Messenger usando la opción **Cambiar nombre de categoría** de su menú contextual.

Buscar personas en Messenger

LA VENTANA PRINCIPAL DE WINDOWS LIVE MESSENGER cuenta con un campo de búsqueda en contactos o en Web que le permitirá localizar a contactos cuya dirección de correo electrónico desconoce. Esa función de búsqueda, Buscar personas, también está disponible en el botón Agregar un contacto o grupo.

1. En el sencillo ejercicio que proponemos a continuación queremos mostrarle el modo de utilizar el buscador de personas de Windows Live Messenger para localizar contactos de todas partes del mundo. Para empezar, haga clic en el icono **Agregar un contacto o grupo** de la ventana principal del programa y elija la opción **Buscar personas**.

2. Accedemos a nuestro espacio en Windows Live creado en ejercicios anteriores, concretamente a la sección **Buscar personas**. Este servicio nos permitirá reencontrarnos con amigos, conocidos y familiares de los que hacía tiempo que no sabíamos nada. Para realizar una búsqueda sencilla, escriba el nombre de un amigo suyo en el campo de texto y pulse **Buscar**.

3. Si el sistema no encuentra ninguna sugerencia, puede utilizar la búsqueda avanzada o bien ver las sugerencias de Windows Live. Pulse en el vínculo **Ver sugerencias**.

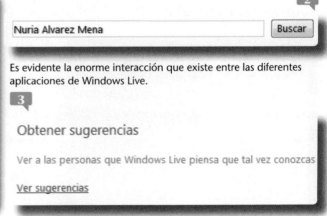

Es evidente la enorme interacción que existe entre las diferentes aplicaciones de Windows Live.

Pruebe a escribir el nombre del contacto que desea localizar en el **campo de búsqueda de Messenger** y verá que puede buscarlo en "perfiles" y en Internet.

Windows Live permite incluso agregar personas desde algunas de las redes sociales más conocidas: **Facebook, LinkedIn, MySpace, Tagged**, etc.

4. Se muestra de este modo una lista de personas que quizás conozca. Si desea agregar a alguna de ellas a su lista de contactos, pulse en su correspondiente vínculo **Agregar**.

5. En el cuadro **Agregar a tu red** puede incluir un mensaje de invitación para su nuevo contacto, agregarlo a una categoría, hacer que se muestre en su página de perfil y añadirlo a su lista de contactos de Messenger. Pulse el botón de flecha del campo **Agregar a una categoría** y elija, por ejemplo, **Amigos**.

6. Mantenga el resto de opciones tal y como se muestran por defecto y pulse el botón **Enviar invitación**.

7. Al agregar a una persona a la lista de contactos, se muestra el término **Invitado** debajo del nombre de la persona. Ahora utilizaremos la búsqueda avanzada para intentar localizar a otro contacto. Cierre el navegador pulsando el botón de aspa de su **Barra de título** y, de nuevo en la ventana principal de Windows Live Messenger, pulse en el icono **Agregar un contacto o grupo** y elija **Buscar personas**.

8. Pulse en el vínculo **Opciones avanzadas**.

9. Como ve, esta opción le permite acotar mucho más la búsqueda introduciendo datos personales y laborales del contacto que desea localizar. Rellene los campos **Nombre**, **Apellidos**, **Sexo** e **Intervalo de edad** y pulse en el vínculo **Ubicación**.

10. Escriba el nombre de la ciudad de su contacto en el campo de texto y pulse el botón **Buscar**.

11. Si el programa encuentra al contacto que usted buscaba, añádalo a su lista. En caso contrario, dé por acabado el ejercicio cerrando el navegador.

Crear grupos de contactos en Messenger

PUEDE CREAR GRUPOS DE CONTACTOS para agrupar personas con intereses comunes y facilitar así la comunicación y la colaboración con ellos. Es importante que sepa que, cuando se escribe este libro, para poder participar en un grupo los usuarios deben disponer de una cuenta de Windows Live ID y usar Messenger.

1. Para crear un grupo de contactos con aficiones comunes, puede utilizar el vínculo **Crear un grupo** del apartado **Grupos**, o bien las opciones **Crear un grupo** que encontrará tanto en el botón **Agregar un contacto o un grupo** como en el menú **Contactos**. Pulse el botón **Agregar un contacto o un grupo** y elija la opción **Crear un grupo**.

2. Un cuadro de advertencia nos informa de las diferencias entre un grupo y una categoría. A grandes rasgos, un grupo permite mantener conversaciones con temas comunes con otros contactos que formen parte de él mientras que una categoría, como se ha visto en ejercicios anteriores, se utiliza para organizar a los contactos. Active la opción **No volver a mostrarme este mensaje otra vez** y pulse el botón **Aceptar**.

3. El nuevo cuadro nos indica que al crear el grupo se creará también un sitio Web en el que sus miembros podrán compartir fotografías, archivos, etc. Como nombre para el grupo escriba, por ejemplo, **Cinéfilos** y pulse el botón **Siguiente**.

020

4. El siguiente paso consiste en añadir miembros al grupo. Puede hacerlo selecciónandolos en su lista de contactos o escribiendo sus direcciones de correo electrónico separados por comas. Pulse en el vínculo **Seleccionar de tu lista de contactos**.

5. A modo de ejemplo, seleccione a su contacto **Marquitos**  y pulse el botón **Aceptar**. (Ya sabe que puede personalizar estos ejercicios eligiendo a sus propios contactos.)

6. Seguidamente, haga clic en el campo **Incluir tu propio mensaje (opcional)**, escriba el texto de ejemplo **Hablemos de pelis** y pulse el botón **Siguiente**.

7. De este modo tan sencillo ha creado un primer grupo y ha invitado a una persona a ser miembro del mismo. Cuando su contacto acepte la invitación, podrá mantener conversaciones de grupo con él. Pulse el botón **Listo**.

8. Observe que hasta su contacto acepte la invitación, se mostrará como miembro pendiente en el grupo. Daremos por hecho que el contacto ha aceptado la invitación y por eso se muestra ahora su estado. Haga clic con el botón derecho del ratón sobre el nombre del grupo, **Cinéfilos**.

9. Puede enviar un mensaje instantáneo al grupo, ir a su sitio Web, invitar a otros usuarios, cambiar la configuración del grupo, bloquearlo y abandonarlo y crear nuevos grupos. Pulse en la opción **Ir a sitio web de grupo** para ver qué aspecto tiene ese sitio.

10. Como ve, desde esta página puede controlar las novedades del grupo, iniciar discusiones, invitar a otros usuarios y cambiar las opciones del grupo. Para acabar, cierre el navegador.

IMPORTANTE

La opción **Abandonar grupo** del menú contextual de un grupo da acceso a la página Abandonar este grupo, desde la que es posible abandonar el grupo para no participar más en él o eliminarlo por completo. Al **eliminar un grupo**, todo el contenido del mismo se borrará permanentemente y el grupo se quitará de Messenger.

> Abandonar el grupo
>
> Eliminar grupo

6

Tenga en cuenta que para poder **enviar un mensaje instantáneo al grupo** deberá haber más de dos miembros conectados.

4

Sólo se podrán enviar **mensajes instantáneos** a un grupo cuando éste esté conectado.

5

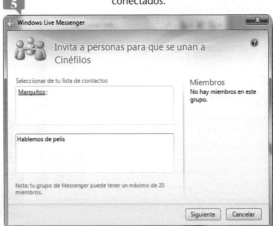

Administrar las novedades de los contactos

LA LISTA DE NOVEDADES PERMITE conocer información actualizada y noticias acerca de nuestros contactos y se muestra en la parte inferior de la ventana principal de Messenger. Es posible expandirla y contraerla, ocultarla, revisar la secuencia de novedades y administrar las actualizaciones de las personas de su red que desea ver en este área.

1. La lista de **Novedades** se muestra por defecto en la parte inferior de la ventana principal de Windows Live Messenger e incluye las últimas noticias de nuestros contactos. Para expandir esta lista, haga clic en la línea roja que aparece al situar el puntero del ratón entre la lista de contactos y la de novedades.

2. Aumenta así el espacio destinado a las novedades de los contactos. Los artículos se reproducen automáticamente, pero puede revisarlos manualmente pulsando los botones de punta de flecha situados junto al título Novedades. Pulse sobre el que señala a la derecha para ver el artículo siguiente.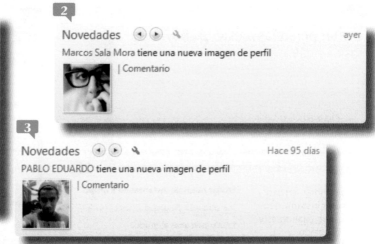

3. La lista de novedades informa también de los días que hace que produjo el evento y permite, en algunos casos, añadir comentarios. Para ajustar la configuración de esta lista, pulse el icono que muestra una llave inglesa.

4. Se abre así el navegador mostrando la sección **Administrar las novedades de tu red** de Windows Live. Como ve, pue-

de ocultar actualizaciones de personas, eventos y grupos así como indicar los tipos de actualizaciones de sus contactos desde Windows Live y desde otros servicios Web que desea ver. Desplácese por la página usando la **Barra de desplazamiento vertical** para ver la lista completa de actualizaciones desde Windows Live y desactive, por ejemplo, las opciones **Grupos** y **Notas** pulsando en sus casillas de verificación.

5. Pulse de nuevo en la parte inferior de la **Barra de desplazamiento vertical** para ver las opciones incluidas en el apartado **Actualizaciones desde actividades web** y, tras comprobar que están activadas las actualizaciones para los más conocidos servicios Web (Facebook, Flickr, Last.fm, etc.), sitúese al final de la página y pulse el botón **Guardar**.

6. Los cambios se han guardado correctamente. Ahora veremos cómo seleccionar los tipos de actualizaciones que desea que otras personas vean sobre usted. Pulse en la parte inferior de la **Barra de desplazamiento vertical** y pulse en el vínculo **administra tus novedades**.

7. En la nueva página **Administrar tus novedades** puede elegir las novedades que desea compartir así como modificar los permisos para sus contactos. En la lista de Windows Live, desactive las opciones **Documentos**, **Eventos** y **Libros de visitas**, por ejemplo.

8. Haga clic en la parte inferior de la **Barra de desplazamiento vertical** y pulse el botón **Guardar**.

9. Por último, cierre el navegador pulsando el botón de aspa de su **Barra de título** y contraiga la lista de novedades para dar por acabado este ejercicio.

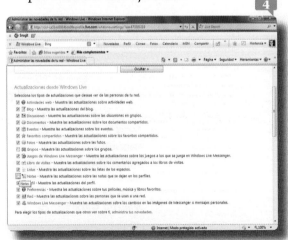

Enviar mensajes instantáneos

LA PRINCIPAL FINALIDAD DE WINDOWS LIVE MESSENGER es mantener conversaciones en tiempo real con contactos de cualquier parte del mundo. Para enviar mensajes instantáneos basta con seleccionar esa opción en el menú del contacto o bien en el menú Acciones. En el segundo caso, se deberá seleccionar el destinatario del mensaje.

1. Antes de iniciar una conversación con un contacto conectado, le mostraremos cómo cambiar las propiedades de fuente para todos los mensajes instantáneos. Pulse el icono **Mostrar menú**, haga clic en el comando **Herramientas** y elija **Opciones**.

2. En el cuadro **Opciones**, active la categoría **Mensajes**.

3. Desde esta categoría puede configurar el modo en que se enviarán los mensajes instantáneos, así como activar el guardado automático de las conversaciones, entre otras opciones. Pulse el botón **Cambiar fuente**.

4. En el cuadro **Cambiar fuente**, estableceremos la fuente, su estilo, su tamaño, su color y la aplicación de tachado o subrayado. Haga clic en la parte superior de la **Barra de desplazamiento vertical** del campo **Fuente** y elija, por ejemplo, la fuente **Rockwell**. (Si no tiene esta fuente instalada, elija otra.)

5. En el apartado **Estilo de fuente** elija la opción **Normal** y después seleccione el **tamaño 12**.

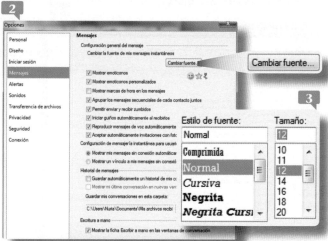

6. Pulse el botón de flecha del campo **Color** y elija, por ejemplo, el color **Verde azulado**.

7. Una vez modificadas las propiedades de la fuente, aplique los cambios pulsando el botón **Aceptar** y después pulse los botones **Aplicar** y **Aceptar** del cuadro **Opciones**.

8. Para iniciar una conversación, sitúe el puntero del ratón sobre uno de sus contactos disponibles y pulse en la opción **Enviar un mensaje instantáneo**.

9. Aparece así la ventana de conversación, donde se muestran las imágenes para mostrar de nuestro contacto y la nuestra. Escriba la palabra **Hola** en el campo de texto.

10. Puede ver que las propiedades de fuente que hemos especificado en el cuadro de opciones se aplican correctamente. Para enviar este primer mensaje instantáneo, pulse la tecla **Retorno**.

11. En la parte superior de la ventana podemos ir viendo las respuestas que nos envía nuestro contacto y nuestros propios mensajes y, en la parte inferior, la hora y la fecha del envío. Puede cambiar en cualquier momento las propiedades de la fuente usando el icono **Cambiar la fuente** o el color del texto, que muestra las letras A y B. En sucesivos ejercicios veremos cómo animar nuestras conversaciones con emoticonos y guiños, cómo enviar archivos, etc. Por el momento, acabaremos este ejercicio cambiando el fondo de la ventana de conversación. Pulse en el último icono de la parte inferior.

12. En el cuadro de muestras de fondos que aparece, pulse en el vínculo **Mostrar todos**.

13. Puede elegir uno de los fondos predeterminados o elegir una imagen que tenga guardada en su equipo pulsando el botón **Examinar**. En este caso, seleccione, por ejemplo, el primero de los fondos normales y pulse el botón **Establecer** para aplicarlos y dar por acabado este ejercicio..

IMPORTANTE

Si pulsa en la pestaña que muestra un lápiz en la parte inferior de la ventana de conversación activará el panel que permite escribir, editar y enviar **mensajes manuscritos**.

4

Negro
Rojo oscuro
Verde
Oliva
Azul marino
Púrpura
Verde azulado
Gris
Plateado
Rojo
Verde
Amarillo
Azul

7

5

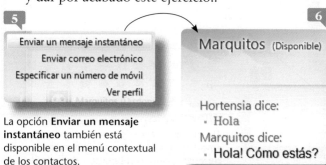

Enviar un mensaje instantáneo
Enviar correo electrónico
Especificar un número de móvil
Ver perfil

La opción **Enviar un mensaje instantáneo** también está disponible en el menú contextual de los contactos.

6

Marquitos (Disponible)

Hortensia dice:
• Hola
Marquitos dice:
• Hola! Cómo estás?

8

Fondos destacados   Más

Tus fondos   Mostrar todos...

Fondos utilizados recientemente

Animar con emoticonos, guiños y zumbidos

PUEDE ANIMAR SUS CONVERSACIONES en tiempo real con sus contactos añadiendo divertidos emoticonos, guiños y zumbidos. En el caso de los emoticonos, puede enviar los que ofrece Windows Live Messenger por defecto o crear los suyos propios con imágenes que tenga almacenadas en su equipo.

1. Empezamos este ejercicio con una ventana de conversación abierta. En primer lugar, vamos a comprobar que en el cuadro de opciones de Messenger está activada la opción que permite enviar y recibir emoticonos. Pulse el icono **Mostrar menú**, haga clic en **Herramientas** y elija **Opciones**.

2. Pulse en la categoría **Mensajes** y, tras comprobar que las opciones **Mostrar emoticonos** y **Mostrar emoticonos personalizados** están activadas, cierre el cuadro pulsando **Cancelar**.

3. Ahora pulse en el primer icono de la parte inferior de la ventana de conversación, **Seleccionar un emoticono**.

4. Puede elegir uno de los emoticonos predeterminados o bien crear los suyos propios. Pulse en el vínculo **Mostrar todos**.

5. Accedemos así al cuadro **Emoticonos**, que nos permite crear nuevos iconos, quitar alguno de los predeterminados, modificarlos, etc. Pulse el botón **Crear**.

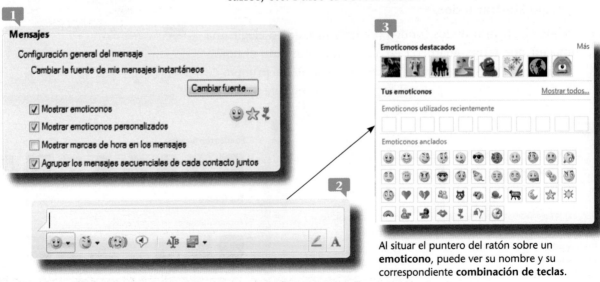

Al situar el puntero del ratón sobre un **emoticono**, puede ver su nombre y su correspondiente **combinación de teclas**.

6. En el cuadro **Agregar un emoticono personalizado** debemos localizar la imagen a partir de la cual se creará el emoticono, especificar un método abreviado de teclado para él y, opcionalmente, darle un nombre. Puede usar la imagen **023-001.jpg** que encontrará en la zona de descargas y que puede guardar en su biblioteca de imágenes. Pulse el botón **Buscar imagen**.

7. Localice y seleccione la imagen en cuestión en el cuadro **Selecciona un emoticono personalizado** y pulse el botón **Abrir**. (Puede usar cualquier otra imagen si lo desea.)

8. Ahora, en el campo de texto siguiente, escriba la combinación **t123** como método abreviado de teclado para el emoticono.

9. Haga doble clic en el campo **Da un nombre a tu emoticono** y sustituya el nombre del archivo por la palabra **tomate**.

10. Para crear el emoticono, pulse el botón **Aceptar** y, después, pulse en la parte inferior de la **Barra de desplazamiento** del cuadro de emoticonos para comprobar que el nuevo ya aparece seleccionado en él y haga clic en **Aceptar**.

11. El emoticono que acabamos de crear aparece y, listo para ser enviado. Antes de hacerlo, escriba la combinación **t123** para comprobar que funciona y pulse después la tecla **Retorno** para enviar el mensaje instantáneo con los dos emoticonos.

12. También puede enviar divertidos guiños animados y zumbidos a sus contactos. Pulse en el segundo icono de la parte inferior de la ventana de mensaje, **Seleccionar un guiño**, y elija, por ejemplo, el guiño **Bromista**.

13. Para enviar un zumbido a su contacto y dar por acabado el ejercicio, pulse en el tercer icono de la parte inferior de la ventana de conversación.

1. Especifica una carpeta de imágenes en tu equipo
El tamaño de la imagen se ajustará automáticamente

Buscar imagen...

Sepa que también puede acceder al cuadro **Emoticonos** eligiendo esa opción en el menú **Herramientas**.

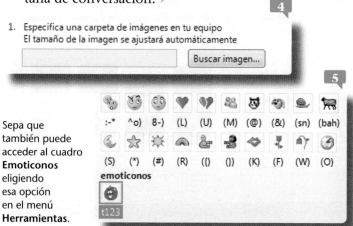

Enviar archivos con Windows Live Messenger

PUEDE COMPARTIR TODO TIPO DE ARCHIVOS con sus contactos conectados enviándolos como archivos únicos. Para ello, puede usar la opción Enviar un archivo o una foto del menú Archivos de la ventana de conversación o bien la opción Enviar un archivo único del menú Acciones o del menú Archivo de esa misma ventana.

1. Empezamos el ejercicio en la ventana de conversación con uno de nuestros contactos disponibles. Vamos a ver diferentes maneras de enviar archivos con Windows Live Messenger. En primer lugar, compartiremos una de las imágenes de muestra de Windows 7. En la ventana de conversación, pulse sobre la opción **Fotos**.

2. Tenga en cuenta que esta opción sólo está disponible si el contacto con el que está hablando tiene instalada la última versión de Windows Live Messenger y no una versión anterior. En el cuadro **Seleccionar imágenes para empezar a compartir**, pulse en la biblioteca **Imágenes** del **Panel de navegación**.

3. Desplácese por la ventana hasta visualizar la carpeta **Imágenes de muestra**, ábrala con un doble clic, seleccione, por ejemplo, la imagen **Desierto** y pulse el botón **Abrir**.

4. La imagen se abre en la ventana de conversación. Ahora su contacto y usted pueden agregar nuevas fotos para compartir,

navegar por las fotos con los controles de reproducción  y guardar las fotos. Pulse el botón de aspa situado junto al botón **Agregar** para detener la acción de compartir fotos.

5. Ahora veamos cómo enviar archivos. En este ejemplo usaremos el documento de Word **Ejemplo1.docx**, que ya empleamos en un ejercicio anterior. (Recuerde que puede encontrarlo en la zona de descargas de nuestra página Web y que puede usar sus propios archivos si lo desea.). Pulse en la opción **Archivos** y elija **Enviar un archivo o una foto**.

6. Se abre así el cuadro **Enviar un archivo a (nombre del contacto)**, en el que debemos localizar y seleccionar el archivo que queremos enviar. Localice en su biblioteca de documentos el documento **Ejemplo1.docx** y pulse el botón **Abrir**.

7. Su contacto debería ahora aceptar la recepción del envío.  Si no lo hace, puede cancelarlo pulsando en el vínculo **Cancelar**. Cuando se completa la transferencia, Messenger nos informa de ello.  También es posible enviar archivos desde los menús **Archivo** y **Acciones**. Pulse el icono **Mostrar menú**, haga clic en **Acciones** y elija la opción **Enviar un archivo único**.

8. Se abre el mismo cuadro de diálogo que antes. Seleccione la biblioteca **Imágenes** en el **Panel de navegación**, localice y abra la carpeta **Imágenes de muestra**, elija una de las imágenes de Windows 7  y pulse **Abrir** para iniciar la transferencia.

9. Si su contacto le envía un archivo, pulse en el vínculo **Aceptar**  y acepte también el cuadro de advertencia que aparece para acabar el ejercicio.

También puede agregar fotos a la ventana **Compartiendo fotos** arrastrándolas desde su ubicación original hasta esa ventana o copiándola y pegándola.

Pulsando en el **vínculo** correspondiente, podrá acceder al archivo que acaba de recibir, que ha quedado almacenado en la ubicación especificada en las opciones del programa.

Publicar archivos en línea desde Messenger

LA PUBLICACIÓN DE ARCHIVOS EN LÍNEA con Windows Live Messenger conlleva la apertura del espacio de almacenamiento de Windows Live SkyDrive, con el que se ha practicado en un ejercicio anterior.

1. De nuevo empezamos el ejercicio desde la ventana de conversación. Pulse en la opción **Archivos** y elija **Publicar archivos en línea**.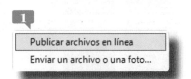

2. Se abre el navegador mostrando la sección **Crear una carpeta** del servicio de almacenamiento SkyDrive de Windows Live. Como recordará, dispone de 25 GB para guardar todo tipo de archivos que quiera compartir con sus contactos. Imaginemos que queremos compartir una carpeta de imágenes. En el campo **Nombre** escriba el término **Fotos de viajes**.

3. Vamos a elegir a las personas que tendrán permiso para acceder a esta carpeta. Pulse el botón de punta de flecha del campo **Compartir con** y elija la opción **Seleccionar personas**.

4. Puede elegir a todos los contactos de su red, a los de categorías concretas o a usuarios en particular. Pulse en el vínculo **Seleccionar en tu lista de contactos**.

5. Haga clic en la parte inferior de la **Barra de desplazamiento vertical** para ver la lista de contactos y pulse en la casilla de

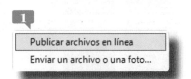

Sepa que también puede encontrar esta opción en el menú **Acciones**.

Como ya sabe, el espacio SkyDrive le permite elegir entre no **compartir sus carpetas** o hacerlo con cualquier usuario, sólo con los contactos de su red o con personas que usted elija.

verificación del contacto **Marcos Sala Mora**, 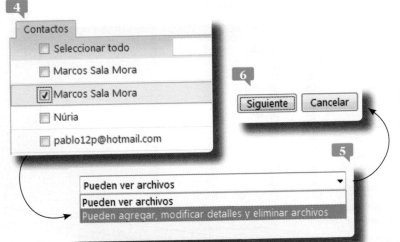 agregado en ejercicios anteriores y con el que estamos practicando en este curso. (Puede elegir otro contacto, si lo desea.)

6. A continuación, diríjase al final de la página con ayuda de nuevo de la **Barra de desplazamiento**, pulse el botón de flecha del campo que muestra el texto **Pueden ver archivos** y elija la otra opción disponible, **Pueden agregar, modificar detalles y eliminar archivos.**

7. Pulse el botón **Siguiente**.

8. Como ya se vio en un ejercicio anterior, ahora podemos arrastrar los archivos hasta el espacio libre de esta página o bien seleccionarlos en el equipo. Pulse en el vínculo **Seleccionar archivos de tu equipo**.

9. Active la biblioteca de imágenes en el **Panel de navegación** del cuadro Seleccione los archivos que vayas a cargar, localice y abra la carpeta **Imágenes de muestra** y, manteniendo pulsada la tecla **Mayúsculas**, pulse en la primera imagen y después en la última para seleccionarlas todas.

10. Luego pulse el botón **Abrir**.

11. Las imágenes de muestra de Windows 7 están preparadas para cargarse. Pulse el botón **Cargar**.

12. Ahora ya ha creado un álbum compartido con la persona que ha elegido. Pulse en el vínculo **Darlo a conocer.**

13. De este modo puede enviar un vínculo a su contacto para que sepa que ha compartido un álbum de fotos con él. Acabe este ejercicio cerrando el navegador sin enviar el mensaje.

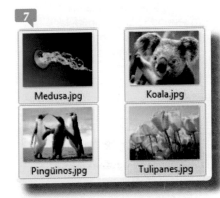

Medusa.jpg — Koala.jpg — Pingüinos.jpg — Tulipanes.jpg

Lógicamente, la **duración del proceso de carga** dependerá del tamaño de los archivos y del número que vaya a almacenar en SkyDrive.

Has creado el álbum Fotos de viajes. Darlo a conocer

Compartido con: Personas que yo he seleccionado

Cargar — Cancelar

Contactos
- ☐ Seleccionar todo
- ☐ Marcos Sala Mora
- ☑ Marcos Sala Mora
- ☐ Núria
- ☐ pablo12p@hotmail.com

Siguiente — Cancelar

Pueden ver archivos
Pueden ver archivos
Pueden agregar, modificar detalles y eliminar archivos

Mantener conversaciones de voz en Messenger

EN WINDOWS LIVE MESSENGER PUEDE REALIZAR llamadas a otro PC para mantener así conversaciones de voz. Para ello, debe tener instalados en su equipo un micrófono a través del cuál enviará los mensajes de voz y un altavoz o auriculares por los que recibirá los mensajes de voz de sus contactos. Además, necesitará también una tarjeta de sonido dúplex medio o dúplex completo.

1. Antes de iniciar una llamada al PC de un contacto, veamos cómo configurar el audio y el vídeo en Messenger. En la ventana principal de la aplicación, haga clic en el icono **Mostrar menú**, pulse en el comando **Herramientas** y elija la opción **Configuración de audio y vídeo**.

2. Desde el cuadro **Configurar audio y vídeo** puede probar sus dispositivos de sonido (altavoz y micrófono). Active la opción **Personalizar**, pruebe los niveles de su micro hablando en él y pulse el botón **Siguiente**.

3. En el siguiente ejercicio veremos cómo seleccionar y configurar la cámara Web que usará para realizar videollamadas. Pulse el botón **Finalizar**.

4. Ya podemos iniciar la llamada al PC de un contacto disponible. En este caso lo haremos desde la ventana principal, pero también podemos hacerlo desde la ventana de conversación. Pulse en el botón **Mostrar menú**, haga clic en **Acciones** y elija **Llamar al PC de un contacto**.

Siempre visible

Emoticonos...

Cambiar imagen para mostrar...

Cambiar la escena...

Guiños...

Ver el historial de alertas

Configuración de audio y vídeo...

Información de facturación

Opciones...

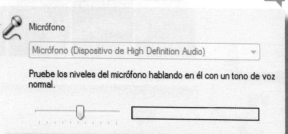

Micrófono

Micrófono (Dispositivo de High Definition Audio)

Pruebe los niveles del micrófono hablando en él con un tono de voz normal.

Active la opción **Personalizar** en el cuadro Configurar audio y vídeo para poder seleccionar y probar los dispostivos que usted tiene instalados en su equipo.

5. Lógicamente, su contacto también deberá contar con altavoces o auriculares para poder escuchar los mensajes de voz y con un micrófono para poder responderlos. En el cuadro **Llamar a PC** debemos seleccionar el contacto disponible con el que queremos hablar. Hágalo y pulse el botón **Aceptar**.

6. De este modo ha enviado a su contacto una invitación a iniciar una llamada a PC que éste deberá aceptar o rechazar. Si tarda mucho en hacerlo, Messenger le informará de que el contacto no responde y finalizará la llamada. Vamos a ver cómo volver a iniciarla desde la ventana de conversación. Pulse en la opción **Llamar**.

7. De nuevo se envía la invitación. Daremos por hecho que el contacto la acepta. Vea cómo aparecen junto a las imágenes para mostrar reguladores de sonido para el micrófono y para los altavoces. (Estos reguladores también aparecerán en la ventana de conversación de su contacto.) Para subir el volumen del micro, arrastre hacia arriba el regulador situado junto a su imagen para mostrar.

8. Pulsando en los iconos que aparecen bajo estos reguladores puede silenciar los dos dispositivos de sonido. Hable por el micrófono con un tono de voz normal.

9. Tanto usted como su contacto pueden dar por acabada la llamada pulsando en el vínculo **Finalizar llamada**. Hágalo.

10. Sepa que la opción **Llamar a un PC** también está disponible en el comando **Llamar** del menú **Acciones** de la ventana de conversación. Para dar por acabado este ejercicio, cierre dicha ventana pulsando el botón de aspa de su **Barra de título**.

El **regulador** situado junto a su imagen para mostrar controla su micrófono y el situado junto a la imagen para mostrar de su contacto, sus altavoces o auriculares.

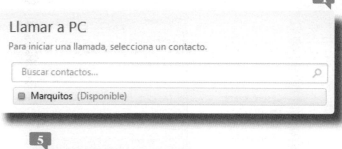

4

Llamar a PC

Para iniciar una llamada, selecciona un contacto.

Buscar contactos...

Marquitos (Disponible)

Puede cancelar la llamada en cualquier momento pulsando en el vínculo **Finalizar llamada**.

5

Llamando a Marquitos ...
Finalizar llamada (Alt+Q)

Marquitos no responde.

7

Marquitos aceptó tu llamada.
Finalizar llamada (Alt+Q).

Iniciar videollamadas en Messenger

SI DISPONE DE UNA CÁMARA WEB debidamente instalada y configurada en su equipo, puede utilizar Windows Live Messenger para realizar videollamadas y poder así hablar con sus contactos y verlos en tiempo real.

1. Al igual que ocurre con las llamadas a un PC, las videollamadas puede iniciarse tanto desde la ventana principal de Windows Live Messenger, para lo que habrá que usar la opción **Vídeo** del menú **Acciones**, o bien desde la ventana de conversación con uno de sus contactos disponibles, para lo que usará la opción **Video**. Antes de iniciar la videollamada, pulse el icono **Mostrar menú** de la ventana principal de Messenger, haga clic en **Herramientas** y elija **Configuración de audio y vídeo**.

2. Como recordará, en el ejercicio anterior configuramos los dispositivos de sonido. Pulse el botón **Siguiente** para ver su cámara Web.

3. Si su cámara está bien instalada, debería aparecer en este cuadro. Pulse el botón **Configuración de cámara web**.

4. En el cuadro **Propiedades**, puede modificar características de su cámara como el brillo, la saturación, la exposición, etc. e incluso desactivar el color para que la imagen sea en blanco y negro. Arrastre el primer regulador hacia la derecha para aumentar el brillo de la imagen.

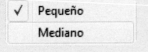

Si su cámara no está seleccionada, elíjala en la lista de la parte superior del cuadro. Si desea deshabilitarla, elija la opción **Deshabilitar**.

027

5. Ahora desactive la característica **ColorEnable** pulsando en su casilla de verificación y vea cómo la imagen se muestra en blanco y negro.

6. Para aplicar los cambios, pulse los botones **Aplicar** y **Aceptar** del cuadro **Propiedades** y después, salga del cuadro **Configurar audio y video** pulsando el botón **Finalizar**.

7. Una vez configurada la cámara, vamos a iniciar la videollamada desde la ventana principal de Messenger. Pulse el icono **Mostrar menú**, haga clic en **Acciones**, pulse en la opción **Vídeo** y elija **Iniciar Videollamada**.

8. Para iniciar la Videollamada, elija a uno de sus contactos disponibles en este cuadro y pulse el botón **Aceptar**.

9. Como siempre, su contacto deberá aceptar la invitación. Cuando lo haga, podrá ver en su ventana de conversación la imagen que capta su cámara Web. Lógicamente, si su contacto también dispone de cámara, usted podrá ver su imagen en su ventana de conversación. En caso contrario, se mostrará un icono que indica que el contacto no tiene cámara Web conectada.  Pulse en el icono de punta de flecha que aparece sobre el de su cámara en la ventana de conversación y haga clic en la opción **Pausa de cámara web**.

10. La cámara está ahora pausada. Para reanudarla, deberá activar la opción **Reanudar cámara Web** de ese mismo menú de opciones. En este caso, sin embargo, detendremos la cámara para dar por acabado el ejercicio. Pulse el icono de cámara Web que aparece junto a la imagen de su cámara para detenerla definitivamente.  En la ventana de conversación de su contacto aparecerá el texto **La videollamada ha terminado**.

También puede finalizar la videollamada en cualquier momento pulsando en el vínculo **Finalizar llamada** en la ventana de conversación.

Actividades y juegos en Windows Live Messenger

CON WINDOWS LIVE MESSENGER podrá compartir música, juegos y aplicaciones con sus contactos. Las actividades y los juegos que ofrece la aplicación puede iniciarse tanto desde la ventana principal como desde la ventana de conversación. Hay que tener en cuenta que algunos juegos y actividades están diseñados para varios participantes, por lo que sólo se podrán iniciar si en la conversación intervienen varios contactos.

1. Empezamos el ejercicio en la ventana principal de Windows Live Messenger. Pulse en el icono **Mostrar menú**, haga clic en **Acciones** y elija la opción **Iniciar una actividad**. 🔲

2. En el cuadro **Iniciar una actividad**, debemos seleccionar el contacto al que queremos invitar. Elija uno de sus contactos disponibles 🔲 y pulse el botón **Aceptar**.

3. Se abre así la ventana de conversación con el contacto elegido, que muestra desplegado el menú **Actividades**. Este menú incluye una lista de actividades de entretenimiento para compartir y la opción **Solicitar asistencia remota**. Elija, por ejemplo, la actividad **Trailers que no te puedes perder**. 🔲

4. Ahora el contacto deberá aceptar la invitación. Cuando lo haga aparecerá, a la derecha de la ventana de conversación, el vídeo con los trailers de las películas más interesantes de la cartelera.

Para invitar a un contacto a iniciar una actividad desde la ventana de conversación, use la opción **Actividad**.

La actividad **Solicitar asistencia remota** le permite prestar ayuda a un amigo. En la ventana de conversación, esta opción sólo está disponible en el menú Acciones.

Puede controlar tanto el volumen como la reproducción de los trailers. Cierre la ventana **Trailers que no te puedes perder** pulsando el botón de aspa de su **Barra de título**.

5. En la ventana de vídeo de su contacto éste podrá ver que usted ha abandonado esta actividad. Veamos ahora cómo jugar en línea con Messenger. Pulse en la opción **Juegos** de la ventana de conversación para ver la lista de juegos disponibles.

6. Ésta se muestra a la derecha de la ventana de conversación. Pulse el botón **Juegos gratuitos**.

7. Haga clic en la parte inferior de la **Barra de desplazamiento vertical** para ver más juegos, elija, por ejemplo **Live Quiz** y pulse el botón **Iniciar juego**.

8. Ahora su contacto deberá aceptar la invitación al juego. Al hacerlo, usted deberá elegir la temática. Pulse, por ejemplo, sobre la opción **Música**.

9. Pulse el botón **OK** de la siguiente pantalla para ver la primera pregunta del nivel 1.

10. Ahora quién responda más rápido obtendrá el primer punto. Haga clic en el campo de texto, escriba la respuesta que crea correcta para la pregunta y pulse el botón **Contestar**.

11. Si la respuesta es correcta, ya tiene su primer punto. ¡Si su contacto se adelanta, deberá ir más rápido con la siguiente respuesta! Le recomendamos que pruebe con los otros juegos en línea que le ofrece Windows Live Messenger y que le permitirán pasar un buen rato con sus amigos. Para acabar, cierre el juego Live Quiz pulsando su botón de aspa.

5

Vídeo   Llamar   Juegos   Actividades

9

Alguien se te adelantó
inténtalo de nuevo
OK

6

Juegos principales   Juegos gratuitos

Ir a bandeja de entrada de correo electrónico

EN LA VENTANA PRINCIPAL DE MESSENGER dispone de un icono que le permite acceder directamente a su bandeja de entrada de correo electrónico. En el cuadro de opciones de la aplicación, concretamente en la categoría Alertas, puede hacer que se muestre una alerta cuando reciba un mensaje de correo electrónico.

1. En el ejercicio que proponemos a continuación le mostraremos lo sencillo que resulta acceder a la bandeja de entrada de su cuenta de correo electrónico desde la ventana principal de Windows Live Messenger. Además, veremos cómo enviar un mensaje de correo electrónico a uno de nuestros contactos. Si tiene mensajes pendientes de leer en su bandeja de entrada, el icono de apertura de ese elemento le mostrará el número de ellos. Pulse sobre ese icono en la ventana principal de Windows Live Messenger.

2. Antes de acceder a la bandeja de entrada, Windows Live le muestra en el navegador las mejoras más recientes en sus servicios. Active la opción **No volver a mostrar este mensaje** y pulse el botón **Continuar**.

3. Ahora podemos ver el contenido de la **Bandeja de entrada** de nuestra cuenta de Hotmail. Junto al comando **Opciones** puede ver si está conectado a Messenger y su estado. Para leer los mensajes pendientes, pulse sobre ellos.

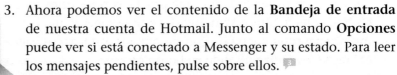

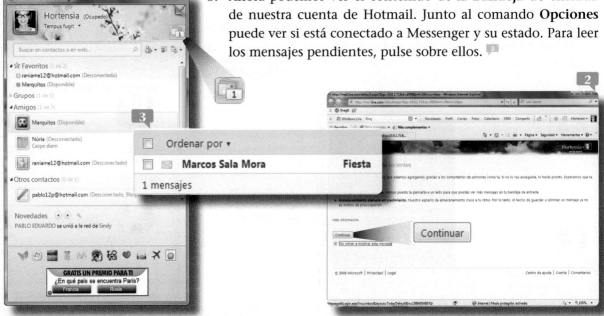

4. Si el contacto que le ha enviado el mensaje también dispone de Messenger, en la cabecera del mensaje puede ver su estado. Una vez leído el mensaje, puede contestarlo, eliminarlo o cambiarlo de ubicación. Pulse en el vínculo **Responder**.

5. Se abre la ventana de un nuevo mensaje con los campos **De** y **Para** rellenados automáticamente con su dirección y la de su contacto. También el campo **Asunto** se completa con el mismo asunto que el mensaje original precedido del término **RE** (Respuesta). Escriba la respuesta al mensaje y pulse **Enviar**.

6. Antes de enviar definitivamente el mensaje, el sistema nos pide que comprobemos la cuenta para combatir a los remitentes de correo no deseado. Pulse en el vínculo **compruebes tu cuenta**.

7. En la nueva ventana del navegador, escriba los caracteres que se ven en la imagen y pulse el botón **Continuar**.

8. Una vez confirmada la cuenta, pulse el botón **Cerrar** y, de nuevo en la ventana del mensaje, pulse el botón **Enviar**.

9. Cuando el mensaje se envíe, cierre el navegador pulsando el botón de aspa de su **Barra de título**.

10. Para acabar, veremos cómo enviar un mensaje de correo electrónico a un contacto desde la ventana principal de Windows Live Messenger. Sitúe el puntero del ratón sobre uno de sus contactos disponibles y haga clic en la opción **Enviar correo electrónico**.

11. A partir de aquí, el proceso es el mismo que para contestar a un mensaje. Escriba el texto, pulse el botón **Enviar** y cierre tanto el navegador como la ventana de Messenger.

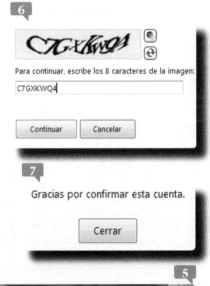

6

Para continuar, escribe los 8 caracteres de la imagen:

C7GXKWQ4

Continuar   Cancelar

7

Gracias por confirmar esta cuenta.

Cerrar

4

8

Enviar un mensaje instantáneo
Enviar correo electrónico
Especificar un número de móvil
Ver perfil

Marcos Sala Mora (marcossm6@hotmail.com)

5

Enviar

Cambiar color y diseño de Windows Live Mail

WINDOWS LIVE MAIL ES EL GESTOR DE CORREO electrónico gratuito de Windows Live. Permite gestionar varias cuentas (Hotmail, Gmail, Yahoo!...) en un solo programa. Además, incluye un calendario, detecta y limpia los virus de los mensajes, bloquea los sospechosos, elimina el correo no deseado, protege las cuentas del phishing y permite crear mensajes con fotografías fácilmente.

1. En este primer ejercicio dedicado a Windows Live Mail le mostraremos cómo cambiar su color y su diseño. Para empezar, pulse el botón **Iniciar** de la **Barra de tareas**, haga clic en el comando **Todos los programas**, abra la carpeta **Windows Live** y pulse en el programa **Windows Live Mail**.

2. Antes de acceder a la aplicación puede iniciar sesión en Windows Live, aunque no es obligatorio. Escriba la dirección y la contraseña de su cuenta y pulse el botón **Iniciar sesión**.

3. El cuadro de diálogo que se abre le permite establecer Windows Live Mail como programa de correo electrónico predeterminado. En este caso, pulse el botón **No**.

4. La aplicación se abre mostrando la opción **Vistas rápidas**. En el **Panel de carpetas**, pulse sobre su cuenta de **Hotmail** creada en los primeros ejercicios.

5. Al ser ésta la primera vez que accede a Windows Live Mail, el programa le pide que descargue las carpetas de su cuenta. Pulse el botón **Descargar**.

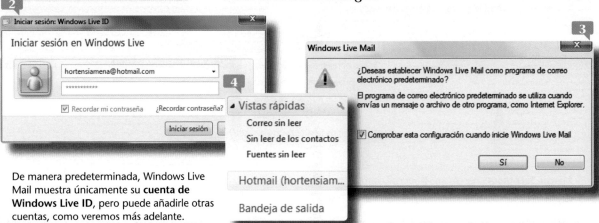

De manera predeterminada, Windows Live Mail muestra únicamente su **cuenta de Windows Live ID**, pero puede añadirle otras cuentas, como veremos más adelante.

6. Si tiene mensajes guardados y pendientes de leer, automáticamente aparecerán en la ventana de la cuenta. Vamos a ver ahora cambiar el color de fondo de la aplicación. Pulse sobre el icono que muestra un pincel en la **Barra de herramientas.**

7. Puede elegir entre los colores predeterminados o acceder a la paleta de colores para elegir uno personalizado. Pulse en la opción **Más colores.**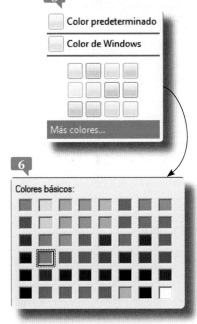

8. En el cuadro **Color**, elija una de las muestras del apartado **Colores básicos** y pulse el botón **Aceptar.**

9. Vea cómo cambia el color de fondo de la aplicación. Ahora modificaremos también su diseño. Haga clic en el segundo icono de la **Barra de herramientas** y pulse sobre el comando **Diseño.**

10. El cuadro **Diseño** le permite configurar el modo en que se muestran el Panel de lectura, la lista de mensajes, el panel de carpetas y el encabezado del mensaje. Como ve, el **Panel de lectura** se mostrará por defecto al final de la lista de mensajes y le permitirá obtener una vista previa de los mismos. Pulse en la opción **Lista de mensajes.**

11. En esta sección puede elegir entre mostrar la información de los mensajes en una o en dos líneas o bien elegir la vista automáticamente. Mantenga esa opción activada y pulse en **Panel de carpetas.**

12. Desde aquí puede establecer los elementos del **Panel de carpetas** que quiere que se muestren. Desactive la opción **Mostrar vistas rápidas.**

13. Por último, pulse en la opción **Encabezado del mensaje** y, tras comprobar que aquí se encuentra la opción para ocultar el encabezado de los mensajes en el panel de lectura, aplique el cambio realizado pulsando los botones **Aplicar** y **Aceptar.**

Como ya sabe, desde el cuadro **Color** también puede crear colores personalizados especificando sus valores de **Matiz**, **Saturación** y **Luminosidad**.

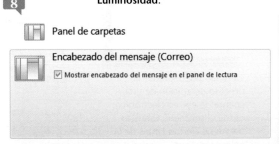

Agregar cuentas a Windows Live Mail

ES MUY PROBABLE QUE TENGA MÁS de una cuenta de correo electrónico (la del trabajo, la personal, etc.). Con Windows Live Mail, puede gestionarlas todas desde la misma ventana agregándolas al programa. Debe tener en cuenta que la mayoría de proveedores de correo electrónico configuran automáticamente la cuenta, pero en otros casos es necesario conocer información de la cuenta que proporciona el administrador de red.

1. Para llevar a cabo este ejercicio debe contar con una cuenta de correo electrónico adicional, además de la cuenta de Windows Live ID que ya dio de alta en su momento. Veremos los pasos que se deben seguir para agregar cuentas a Windows Live Mail para poder controlar todos sus mensajes y contactos desde una misma aplicación. Empezamos el ejercicio en la ventana principal de Windows Live Mail. Pulse en el vínculo **Agregar cuenta de correo** del **Panel de carpetas**.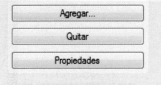

2. En el cuadro **Agregar cuenta de correo electrónico** debemos introducir la información de la nueva cuenta. Escriba la dirección de correo electrónico en el campo **Correo electrónico** y su correspondiente contraseña en el campo **Contraseña**.

3. Haga clic en el campo **Nombre para mostrar** y escriba el nombre que desea que aparezca en sus mensajes enviados desde esta nueva cuenta.

También puede iniciar el proceso de adición de una cuenta de correo electrónico desde el submenú **Cuentas** del menú Herramientas de la aplicación.

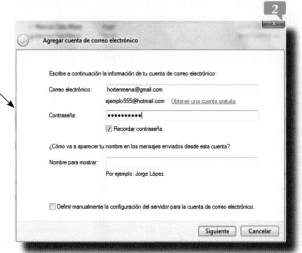

Si activa la opción **Definir manualmente la configuración del servidor para la cuenta de correo electrónico** deberá especificar información acerca de la cuenta de correo que le proporcionará su administrador.

4. Pulse el botón **Siguiente**.

5. Si ha escrito correctamente todos los datos, la cuenta ya aparecerá en la siguiente pantalla del asistente y, si lo desea, podrá establecerla como la cuenta de correo predeterminado. Tenga en cuenta que en la mayoría de casos debe habilitar el acceso IMAP de su cuenta para poder recibir los mensajes en otros clientes como Windows Live Mail, en este caso. Siga las instrucciones y, una vez habilitado **IMAP**, pulse el botón **Finalizar**.

6. Tras la descarga de las carpetas de la nueva cuenta, aparece el cuadro **Mostrar u ocultar las carpetas IMAP**. Vamos a dejar visibles todas las carpetas. Seleccione la carpeta **Bandeja de entrada** y pulse el botón **Ir a**.

7. Automáticamente se muestra la lista de mensajes de esta carpeta. De este modo tan sencillo puede mantener controlados sus mensajes de diferentes cuentas en una única aplicación. Además puede importar sus contactos para tener su agenda completamente actualizada. Seleccione uno de los mensajes y pulse el botón **Eliminar** de la **Barra de herramientas**.

8. Para quitar una cuenta de correo electrónico de Windows Mail, el proceso es aún más sencillo. Haga clic con el botón derecho del ratón sobre el nombre de su cuenta secundaria y, de su menú contextual, elija la opción **Quitar cuenta**.

9. Confirme que desea quitar la cuenta pulsando el botón **Sí** del cuadro de diálogo que aparece 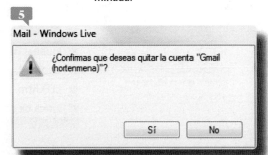 para dar por acabado este ejercicio.

Siempre debe disponer de al menos una cuenta configurada como la **predeterminada**.

Enviar mensajes con Windows Live Mail

RESULTA MUY RÁPIDO Y SENCILLO ENVIAR MENSAJES de correo electrónico desde cualquiera de las cuentas que se hayan añadido a Windows Live Mail. Esos mensajes pueden ser simples, sólo con texto, o bien pueden contener archivos y fotografías.

1. En este ejercicio veremos cómo enviar diferentes tipos de mensajes desde Windows Live Mail. Empezamos en la ventana principal de la aplicación. Pulse en el botón **Nuevo**.

2. Se abre la ventana **Mensaje nuevo** en la que debemos indicar el destinatario y el asunto (opcionalmente) y escribir el mensaje que queremos enviar. Para seleccionar la dirección de correo electrónico del destinatario del mensaje, pulse el botón **Para**.

3. En el cuadro **Enviar mensaje de correo electrónico** haga doble clic sobre el contacto **Marquitos** (recuerde que se trata de un contacto de ejemplo, si no lo tiene, elija otro de sus contactos) y pulse el botón **Aceptar**.

4. Haga clic en el campo **Asunto** y escriba la palabra **Regalo**.

5. Antes de escribir el mensaje, cambiaremos el diseño de fondo. Pulse el botón **Diseño de fondo** y haga clic en la opción **Más diseños de fondo**.

6. Aparece el cuadro **Seleccionar diseño de fondo**, que muestra la lista de diseños predeterminados. Elija, por ejemplo, el diseño **Jardín** y pulse el botón **Aceptar**.

7. Ahora escriba el cuerpo del mensaje.

8. Usando las herramientas de la parte superior del cuerpo del mensaje puede modificar el formato del texto (la fuente, el color, el tamaño, etc.). Seleccione el texto pulsando al principio del mismo mientras mantiene presionada la tecla **Mayúsculas**, haga clic en el icono **Color de fuente**, que muestra una A subrayada y elija, por ejemplo, el color azul oscuro.

9. Una vez formateado el texto, envíe el mensaje pulsando el botón **Enviar**.

10. Por defecto, el mensaje se enviará automáticamente, aunque puede cambiar esta particularidad desde el cuadro de opciones de la aplicación. Ahora veamos cómo enviar un mensaje con foto. Pulse el botón de flecha del comando **Nuevo** y elija la opción **Mensaje de correo electrónico con fotografías**.

11. Al mismo tiempo que la ventana de nuevo mensaje, se abre el cuadro **Agregar fotos**, en el que debe seleccionar las fotos que va a adjuntar al mensaje. Elija una de las imágenes que tenga guardada en su biblioteca de imágenes y pulse el botón **Agregar**.

12. Puede seguir añadiendo fotos, pero en este caso sólo insertaremos una. Pulse el botón **Listo**.

13. Observe que ahora el cuadro de mensaje muestra la miniatura de la imagen seleccionada además de una serie de herramientas para su edición. Pulse el botón **Blanco y negro**.

14. Sólo queda que añada la dirección del destinatario del mensaje y, opcionalmente, el asunto. Hágalo y pulse el botón **Enviar**.

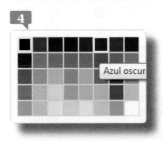

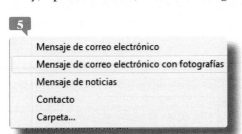

Usando la opción **Adjuntar** de la ventana de envío puede añadir archivos a su mensaje.

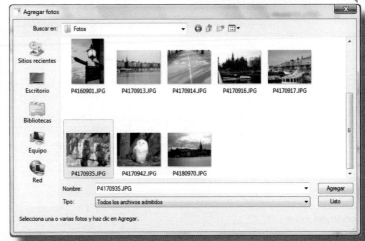

Crear, editar y eliminar carpetas

PUEDE AGREGAR CARPETAS AL PANEL DE CARPETAS de Windows Live Mail para almacenar y organizar mejor sus mensajes. De manera predeterminada, el programa cuenta con una serie de carpetas que no se pueden eliminar ni editar; esas carpetas son Bandeja de entrada, Borradores, Elementos enviados, Correo electrónico no deseado Elementos eliminados y Bandeja de salida.

1. En este ejercicio veremos cómo crear carpetas, modificar sus nombres y eliminarlas. Las carpetas permiten mantener ordenados los mensajes de correo electrónico y se muestran en el **Panel de carpetas**, ubicado por defecto en la parte izquierda de la interfaz de Windows Live Mail. Haga clic en la punta de flecha del comando **Nuevo** y elija la opción **Carpeta**.

2. En el cuadro **Crear carpeta** debemos especificar un nombre para la carpeta y seleccionar la carpeta donde vamos a agregarla. Imaginemos que queremos guardar todos los mensajes de un contacto en una carpeta. En el campo **Nombre de la carpeta** escriba el nombre de uno de sus contactos.

3. Mantenga seleccionado el nombre de su cuenta en la lista de carpetas del cuadro y pulse el botón **Aceptar**.

4. La nueva carpeta aparece en el **Panel de carpetas**, al final de las predeterminadas. Ahora crearemos otra que posteriormente editaremos y eliminaremos. Pulse la combinación de teclas **Ctrl.+Mayúsculas+D** para acceder al cuadro **Nueva carpeta**.

IMPORTANTE

Puede hacer que la carpeta Elementos eliminados se vacíe automáticamente al salir: acceda al cuadro de opciones de Windows Live Mail, active la ficha **Opciones avanzadas** y pulse el botón **Mantenimiento**. En el cuadro Mantenimiento, active la opción **Vaciar la carpeta "Elementos eliminados" al salir**.

Mantenimiento...

3

▲ Hotmail (hortensiam...
   Bandeja de entrada (3)
   Borradores
   Elementos enviados
   Correo electrónico no d...
   Elementos eliminados
   Marquitos

También puede crear nuevas carpetas desde los submenús **Nuevo** y **Carpeta** del menú Archivo. Recuerde que puede mostrar la Barra de menús activando esa opción del icono Menús.

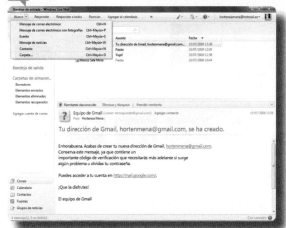

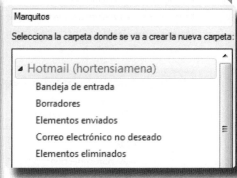

Si elige una carpeta no apta para albergar otras carpetas, el cuadro **Crear carpeta** se lo indicará.

5. Escriba el término **Prueba** como nombre de la nueva carpeta, seleccione las **Carpetas de almacenamiento** como ubicación para ella y pulse el botón **Aceptar**.

6. Ya tenemos otra carpeta de almacenamiento. Para cambiar su nombre, haga clic con el botón derecho del ratón sobre ella y elija la opción **Cambiar nombre** de su menú contextual.

7. En el cuadro **Cambiar el nombre de la carpeta**, escriba un nuevo nombre para su carpeta y pulse **Aceptar**.

8. Como ve, el proceso es muy sencillo. Para eliminar una carpeta agregada (las predeterminadas no pueden eliminarse), también puede utilizar su menú contextual. Haga clic con el botón derecho del ratón sobre el nuevo nombre de la carpeta de almacenamiento y elija la opción **Eliminar**.

9. Un cuadro de diálogo nos solicita confirmación para llevar a cabo la eliminación de la carpeta, que quedará guardada en la carpeta **Elementos eliminados**. Pulse el botón **Sí** del cuadro de diálogo.

10. Ahora ha aparecido a la izquierda de la carpeta de almacenamiento **Elementos eliminados** una punta de flecha para indicar que contiene algún elemento. Pulse esa punta de flecha para comprobar que se trata de la carpeta eliminada.

11. Para acabar, haga clic con el botón derecho del ratón sobre la carpeta **Elementos eliminados** y elija la opción **Vaciar la carpeta "Elementos eliminados"**.

12. Confirme que desea eliminar definitivamente el contenido de la carpeta **Elementos eliminados** pulsando el botón **Sí** del cuadro de diálogo que aparece.

El submenú **Carpeta** del menú Archivo también incluye la opción **Cambiar nombre**.

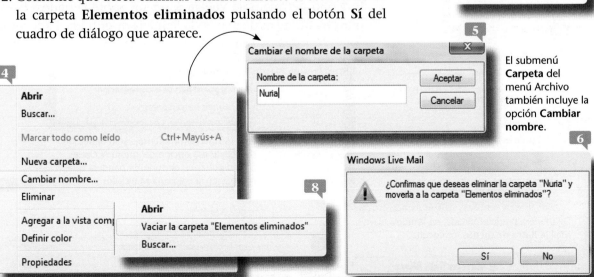

Marcar, mover y copiar mensajes

CON WINDOWS LIVE MAIL PUEDE MARCAR los mensajes que considere más importantes con una bandera roja para revisarlos más tarde. Además, también puede mostrar como no leído un mensaje ya abierto y viceversa. Asimismo, es posible mover y copiar mensajes de una carpeta a otra. Todas estas acciones se pueden llevar a cabo desde el menú contextual de los mensajes o desde los menús Edición y Acciones.

1. Empezamos este ejercicio mostrando la **Barra de menús** de Windows Live Mail, oculta por defecto. Haga clic en el icono **Menús**, el segundo de la **Barra de herramientas**, y elija la opción **Mostrar barra de menús**.

2. Para marcar un mensaje como importante, selecciónelo en la ventana de mensajes, abra el menú **Acciones** y elija la opción **Marcar mensaje**.

3. Vea cómo aparece una bandera roja en la columna **Marcador**. De este modo, puede localizar fácilmente aquellos mensajes que considere más importantes y que desee revisar con más tiempo. También es posible marcar mensajes leídos como no leídos y viceversa. Seleccione uno de sus mensajes leídos, abra el menú **Edición** y elija la opción **Marcar como no leído**.

4. El icono del mensaje vuelve a ser un sobre cerrado y se muestra un mensaje más en la Bandeja de entrada. Para volver

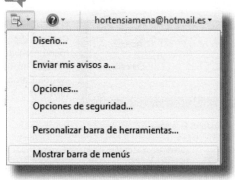

De manera predeterminada, en Windows Live Mail la **Barra de menús** está oculta.

Para desmarcar un mensaje sólo tiene que desactivar esa opción del menú Acciones o bien pulsar en el icono de bandera que aparece en la columna **Marcador**.

a marcarlo como leído, haga clic sobre él con el botón derecho del ratón y elija la opción **Marcar como leído** de su menú contextual.

5. Ahora veremos cómo copiar y mover mensajes de una carpeta a otra. En concreto, vamos a pasar un par de mensajes de la **Bandeja de entrada** a la nueva carpeta que creamos en el ejercicio anterior. Con uno de sus mensajes seleccionado, abra el menú **Edición** y pulse en el comando **Copiar a la carpeta**.

6. En el cuadro **Copiar**, debemos seleccionar la carpeta en la que copiaremos el mensaje. Seleccione la carpeta que creó en la lección anterior dentro de su cuenta y pulse el botón **Aceptar**.

7. Como ve, el mensaje permanece en la **Bandeja de entrada**, puesto que lo hemos copiado, no movido. En el **Panel de carpetas**, pulse sobre la carpeta creada en el ejercicio anterior para comprobar que contiene el mensaje.

8. Sitúese de nuevo en la **Bandeja de entrada**, haga clic con el botón derecho del ratón sobre otro de sus mensajes y elija esta vez la opción **Mover a la carpeta** de su menú contextual.

9. En este caso, el mensaje desaparecerá de la **Bandeja de entrada** y se moverá a la que indiquemos en el cuadro **Mover**. Seleccione, por ejemplo, la carpeta **Elementos eliminados** y pulse el botón **Aceptar**.

10. Si el mensaje no había sido leído, podrá ver que aparece como tal en la carpeta **Elementos enviados**. Pulse sobre ella para comprobar que el mensaje se ha movido correctamente y dé con ello por acabado el ejercicio.

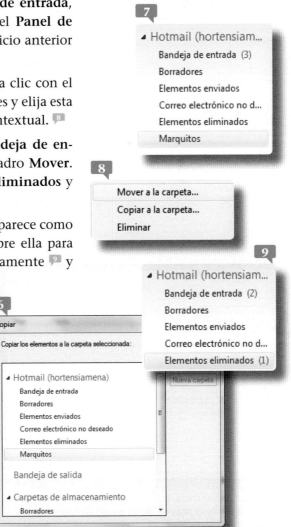
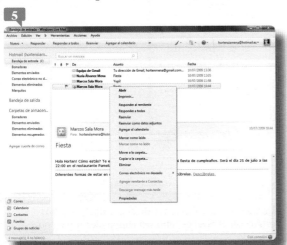

Marcar mensajes como correo no deseado

EN EL CORREO NO DESEADO SE PUEDEN INCLUIR todos aquellos mensajes de correo electrónico ilícitos o no deseados, incluidos los spam o correos basura. Al marcar un mensaje como correo no deseado, éste se moverá hasta la carpeta predeterminada Correo electrónico no deseado y se bloqueará todo el correo posterior recibido de la misma dirección.

1. En este ejercicio veremos cómo marcar un mensaje como correo no deseado. Para ello, puede usar tanto su menú contextual como el menú **Acciones**. Seleccione uno de sus mensajes de correo electrónico en la ventana principal de Windows Live Mail.

2. Abra el menú **Acciones** y pulse sobre el comando **Correo** electrónico **no deseado.**

3. Como ve, desde este menú puede agregar el remitente o su dominio a la lista de remitentes seguros o a la lista de remitentes bloqueados, marcar el mensaje como correo no deseado o acceder a las opciones de seguridad de Windows Live Mail. Pulse en el comando **Opciones de seguridad**.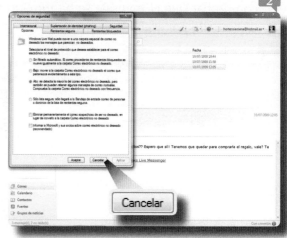

4. Accedemos así al cuadro **Opciones de seguridad**, con el que trabajaremos detalladamente en otro ejercicio. Salga de este cuadro pulsando el botón **Cancelar**.

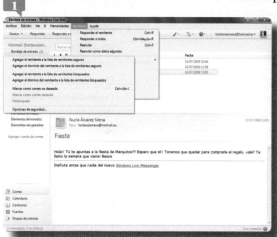

El icono Mostrar menú de la ventana principal de Windows Live Mail también dispone de un acceso directo al cuadro **Opciones de seguridad**.

Desde el cuadro **Opciones de seguridad** podemos establecer el nivel de filtro del correo electrónico no deseado.

035

5. Pulse ahora con el botón derecho del ratón sobre el mensaje de correo electrónico seleccionado, haga clic en la opción **Correo electrónico no deseado** de su menú contextual y elija **Marcar como correo no deseado.**

6. Aparece un cuadro de Windows Live Mail que nos advierte de que el mensaje se moverá a la carpeta **Correo electrónico no deseado** y nos pregunta si queremos informar a Microsoft sobre el correo no deseado. Pulse el botón **No informar** de este cuadro de diálogo.

7. Efectivamente, si el mensaje aún no había sido abierto, puede comprobar a simple vista que se ha movido hasta la carpeta predeterminada **Correo electrónico no deseado**. Haga clic sobre ella en el **Panel de carpetas** para ver su contenido.

8. Puede ver que el mensaje seleccionado se encuentra en esta carpeta. Si después de marcar un mensaje de correo electrónico como correo no desea se da cuenta de que no lo es, puede marcarlo como correo deseado para que vuelva a su ubicación de origen. Abra el menú **Acciones**, pulse sobre el comando **Correo electrónico no deseado** y elija la opción **Marcar como correo deseado.**

9. El mensaje vuelve a la **Bandeja de entrada**. Compruébelo pulsando sobre ella en el **Panel de carpetas** para dar por acabado este sencillo ejercicio.

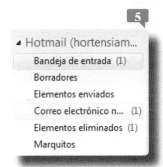

Opciones de seguridad de Windows Live Mail

EL CUADRO OPCIONES DE SEGURIDAD de Windows Live Mail está compuesto por seis fichas desde las cuales es posible configurar los niveles de seguridad de la aplicación para minimizar el riesgo de sufrir ataques de suplantación de identidad, controlar a los remitentes de nuestros mensajes y establecer el nivel de filtro del correo electrónico no deseado, entre otras opciones.

1. Para acceder al cuadro **Opciones de seguridad**, pulse en el menú **Herramientas** y elija esa opción.

2. El cuadro **Opciones de seguridad** se abre mostrando activa la ficha **Opciones**, desde la que es posible establecer el nivel de protección para el correo electrónico no deseado. Por defecto, se encuentra activada la opción **Alto**, por lo que será conveniente revisar periódicamente la carpeta de correo electrónico no deseado para evitar que se cuelen en ella mensajes deseados. Haga clic en el botón de opción **Bajo** para que sólo se muevan a esa carpeta los correos que pertenezcan evidentemente a este tipo.

3. En esta ficha también puede activar la opción que hará que se elimine automáticamente el correo sospechoso de no ser deseado y que se informe a Microsoft sobre ese tipo de correo. Veamos ahora el contenido de la ficha **Suplantación de identidad (phishing)**. Haga clic en su pestaña.

2

◯ Sin filtrado automático. El correo procedente de remitentes bloqueados se mueve igualmente a la carpeta Correo electrónico no deseado.

◉ Bajo: mover a la carpeta Correo electrónico no deseado el correo que pertenezca evidentemente a este tipo.

◯ Alto: se detecta la mayoría del correo electrónico no deseado, pero también se pueden retener algunos mensajes de correo normales. Comprueba la carpeta Correo electrónico no deseado con frecuencia.

◯ Sólo lista segura: sólo llegará a la Bandeja de entrada correo de personas o dominios de la lista de remitentes seguros.

Si activa la opción **Sólo lista segura**, únicamente llegarán a la Bandeja de entrada mensajes de personas o dominios que se hayan añadido a la lista de remitentes seguros.

4. Como puede ver, se encuentra activada por defecto la opción por la cual Windows Live Mail protege la Bandeja de entrada de mensajes con vínculos potenciales de suplantación de identidad. Active la opción **Mover el correo electrónico de suplantación de identidad a la carpeta de correo no deseado.**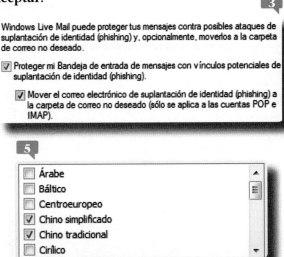

5. Active ahora la ficha **Seguridad** pulsando en su pestaña.

6. Desde esta ficha se controla la protección antivirus, la descarga de imágenes y el correo seguro. Mantenga las opciones tal y como se muestran por defecto en esta ficha y pulse en la pestaña **Internacional**.

7. En esta ficha, puede crear una lista de dominios y de codificaciones bloqueados. Estas listas harán que se marquen como correo electrónico no deseado los mensajes escritos en idiomas y con codificaciones determinados. Pulse el botón **Lista de dominios de nivel superior bloqueados**.

8. Para bloquear los mensajes procedentes de China, por ejemplo, use la **Barra de desplazamiento vertical** para localizar ese país, haga clic en su casilla de verificación y pulse **Aceptar**.

9. A continuación, pulse el botón **Lista de codificaciones bloqueadas**.

10. Active en el cuadro **Lista de codificaciones bloqueadas** los tipos de codificación **Chino simplificado** y **Chino tradicional** y pulse el botón **Aceptar**.

11. Para aplicar las modificaciones realizadas en el cuadro **Opciones de seguridad**, pulse los botones **Aplicar** y **Aceptar**.

Tenga en cuenta que las listas de codificaciones bloqueadas y de dominios de nivel superior bloqueados sólo se aplican a las **cuentas POP e IMAP**.

Gestionar remitentes en Windows Live Mail

CUANDO RECIBA UN MENSAJE de correo electrónico en Windows Live Mail de un remitente desconocido, podrá agregarlo a su lista de contactos, permitirlo temporalmente o bien bloquearlo para no recibir más mensajes procedentes de esa dirección. Esas opciones de los contactos se muestran en forma de vínculos en la cabecera del mensajes y también son accesibles desde el menú contextual del mismo.

1. En este ejercicio queremos mostrarle cómo agregar, permitir y bloquear contactos en Windows Live Mail. Para llevar a cabo estas acciones, debe contar con algún mensaje de correo electrónico de un remitente que no haya añadido todavía a su lista de contactos. En primer lugar, seleccione ese mensaje.

2. Observe la barra de notificación que aparece sobre la cabecera del mensaje en el **Panel de lectura**. El programa nos informa de que se trata de un remitente desconocido y nos ofrece vínculos a diferentes acciones. Así, es posible eliminar y bloquear al remitente para no volver a recibir mensajes desde su dirección de correo electrónico, permitirlo temporalmente o agregarlo a nuestra agenda de contactos. Pulse en el vínculo **Permitir remitente**.

3. Automáticamente desaparece la barra de notificación. Ahora, cuando recibamos nuevos mensajes de este remitente, no

será necesario que lo permitamos. El siguiente paso es, pues, agregarlo a nuestra lista de contactos. Podemos usar el vínculo **Agregar contacto** o bien la opción **Agregar remitente a Contactos** del menú contextual del mensaje. Haga clic con el botón derecho del ratón sobre el mensaje y pulse en la opción **Agregar remitente a Contactos**.

4. Se abre así el cuadro **Agregar un contacto**, donde debe introducir los datos del contacto. Con los campos que aparecen rellenados automáticamente en la ficha **Agregar rápidamente** ya tiene suficiente, pero si lo desea puede completar los campos del resto de fichas. Pulse el botón **Agregar contacto**.

5. Aunque más adelante trabajaremos con más detalle con el elemento **Contactos** de Windows Live Mail, comprobaremos que el contacto se ha agregado correctamente. Pulse en el botón **Contactos**.

6. Compruebe que en el cuadro **Contactos de Windows Live** aparece ya su nuevo contacto, agregado desde la ventana del mensaje, y ciérrelo pulsando el botón de aspa de su **Barra de título**.

Sepa que también puede agregar a su lista de contactos a los remitentes de un mensaje desde la ventana del mensaje. En ese caso, deberá abrir el menú **Herramientas**, pulsar en el comando **Agregar contactos** y elegir la opción que considere adecuada del submenú que contiene (desde aquí puede incluso agregar todos los destinatarios especificados en la línea **Para** del mensaje recibido a su lista de contactos.)

Remitentes seguros y remitentes bloqueados

EL CUADRO OPCIONES DE SEGURIDAD de Windows Live Mail cuenta con dos fichas que permiten agregar remitentes seguros y remitentes bloqueados para aumentar así la seguridad en el programa. Los mensajes electrónicos recibidos de remitentes marcados como bloqueados se almacenarán automáticamente en la carpeta Correo electrónico no deseado, y los recibidos de remitentes marcados como seguros seguirán su curso normal.

1. Para agregar remitentes seguros y bloqueados a Windows Live Mail podemos acceder al cuadro **Opciones de seguridad** y utilizar los botones **Agregar** de las fichas **Remitentes seguros** y **Remitentes bloqueados** o bien podemos seleccionar el mensaje cuyo remitente queremos marcar como seguro o bloqueado y usar las opciones adecuadas del submenú **Correo electrónico no deseado**, en el menú **Acciones**. Empezaremos agregando un remitente bloqueado siguiendo el primer procedimiento. Abra el menú **Herramientas** y pulse en el comando **Opciones de seguridad**. 🔲

2. En el cuadro **Opciones de seguridad**, con el que ya hemos trabajado antes, pulse en la pestaña **Remitentes bloqueados**. 🔲

3. Los mensajes y noticias de las direcciones que aparezcan en esta lista serán tratados como correo no deseado y, por tanto, se guardarán en esa carpeta. Pulse el botón **Agregar**.

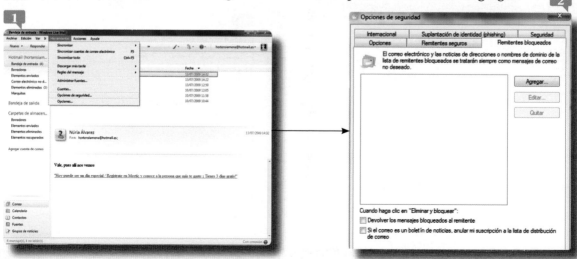

4. En el cuadro **Agregar dirección o dominio** escriba la dirección que desee bloquear y pulse el botón **Aceptar**.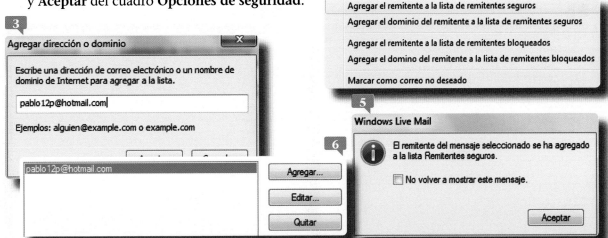

5. Una vez agregada la dirección, pulse los botones **Aplicar** y **Aceptar** para salir del cuadro **Opciones de seguridad**.

6. A continuación, agregaremos una dirección a nuestra lista de remitentes seguros desde el mensaje. Seleccione el mensaje cuyo remitente desea agregar a esa lista, abra el menú **Acciones**, pulse sobre la opción **Correo electrónico no deseado** y elija **Agregar el remitente a la lista de remitentes seguros**.

7. Un cuadro de diálogo nos informa de que el remitente del mensaje seleccionado se ha agregado a la lista de remitentes seguros. Lo comprobaremos. Cierre este cuadro pulsando el botón **Aceptar**.

8. Para acceder nuevamente al cuadro **Opciones de seguridad**, pulse esta vez el icono **Mostrar menú**, el segundo de la **Barra de herramientas** de Windows Live Mail, y elija **Opciones de seguridad**.

9. Active la ficha **Remitentes seguros** pulsando en su pestaña.

10. Como puede ver, el remitente seleccionado ya aparece en esta lista. Vamos a acabar este ejercicio quitando la dirección del remitente bloqueado que hemos agregado en pasos anteriores para que sus mensajes no sean tratados como correo electrónico no deseado. Active la ficha **Remitentes bloqueados**.

11. Seleccione la dirección de correo electrónico que ha agregado antes y pulse el botón **Quitar**.

12. Por último, aplique los cambios pulsando los botones **Aplicar** y **Aceptar** del cuadro **Opciones de seguridad**.

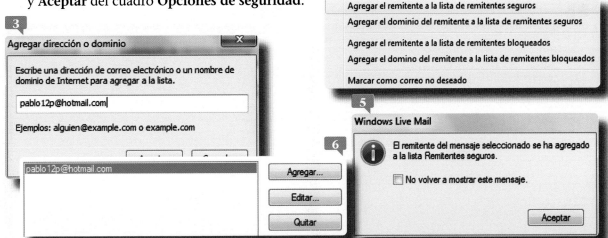

038

IMPORTANTE

Si se agrega un remitente a la lista de remitentes bloqueados desde el mensaje, usando la opción **Agregar remitente a la lista de remitentes bloqueados**, Windows Live Mail moverá automáticamente ese mensaje a la carpeta de Correo electrónico no deseado.

El calendario de Windows Live Mail

LOS CALENDARIOS DE WINDOWS LIVE MAIL le permiten realizar un seguimiento de los eventos más importantes de su vida cotidiana (cumpleaños, citas, reuniones, etc.) Puede crear diferentes calendarios (laboral, personal...) y mostrarlos por día, semana, mes o año.

1. En este primer ejercicio dedicado al calendario de Windows Live Mail veremos el modo de acceder a este elemento y de cambiar sus vistas y movernos por él. Pulse el botón **Calendario** situado bajo el **Panel de carpetas**.

2. El Calendario de Windows Live Mail se muestra por defecto por meses, pero puede cambiar esta particularidad desde el menú **Ver** o desde ese mismo comando de la Barra de encabezado. Despliegue el menú **Ver** y pulse sobre la opción **Semana**.

3. Pulse ahora el botón de doble punta de flecha de la barra de encabezado, haga clic en la opción **Ver** y elija la vista **Día**.

4. De este modo el calendario muestra las 24 horas del día de hoy para que pueda ir añadiendo eventos. Para volver a mostrar la vista **Mes**, pulse la combinación de teclas **Ctrl.+Alt.+3**.

También puede mostrar el calendario seleccionándolo en el menú **Ir** o pulsando la combinación de teclas **Ctr.+Mayúsculas+X**.

5. Para desplazarse por las páginas del calendario, debe utilizar los botones de punta de flecha redondos situados junto al mes

en el calendario del panel de la izquierda. A modo de ejemplo, para pasar al siguiente mes, pulse el botón de punta de flecha redondo que señala hacia la derecha.

6. Pulsando en el nombre del mes, obtendrá una vista anual del Calendario. Pulse en el vínculo **Ir a hoy** y observe lo que ocurre.

7. Como puede ver, de manera predeterminada Windows Live Mail cuenta con varios calendarios: el propio del usuario, el de cumpleaños (que se creará automáticamente al añadir contactos que incluyan ese dato), el de los grupos creados en Windows Live Messenger (en este ejemplo, Cinéfilos) y el de los días festivos de España. Cada uno de estos calendarios se caracteriza por un color, que puede ser modificado. Haga clic en el botón de punta de flecha del calendario **Días festivos de España** y elija la opción **Propiedades**.

8. Desde el cuadro **Propiedades del calendario** puede cambiar su nombre, su color y su descripción. Cambie el color por defecto por otro de los que aparecen en el cuadro y pulse el botón **Guardar**.

9. Para comprobar que el cambio de color se ha aplicado correctamente, sitúese en el mes de agosto usando los botones adecuados del calendario en miniatura y vea que la fecha **15 de agosto**, festividad de **La Asunción** en España, está marcado con el color indicado.

10. Para acabar, ocultaremos el calendario **Cinéfilos**. Pulse sobre él y elija la opción **Ocultar este calendario de la lista**.

En función de la vista activada en el calendario en miniatura, los botones de flecha le permitirán **avanzar o retroceder** por meses o por años.

Agregar eventos al calendario

LA FINALIDAD PRINCIPAL DEL CALENDARIO de Windows Live Mail es mantenerse completamente al día de todos los eventos importantes (cumpleaños, reuniones, actividades, etc.). Es posible agregar, modificar y eliminar eventos del calendario, así como establecer una periodicidad para ellos.

1. Existen varios modos de agregar eventos a sus calendarios de Windows Live Mail: puede usar la opción **Evento** incluida en el comando **Nuevo** de la Barra de encabezado, esa misma opción incluida en el submenú **Nuevo** del menú **Archivo**, la combinación de teclas **Ctrl.+Mayúsculas+E** o bien la opción **Nuevo evento** del menú contextual de las fechas. Pulse el botón de flecha del comando **Nuevo** y elija la opción **Evento**.

2. Se abre así el completo cuadro **Nuevo evento**, en el que debemos establecer las propiedades del evento. Imagine que quiere marcar en su calendario su período de vacaciones estivales. En el campo **Asunto** escriba la palabra **Vacaciones**.

3. En el campo **Ubicación** puede escribir dónde va a tener lugar el evento. Haga clic en ese campo y escriba, por ejemplo, la palabra **Londres**.

4. Ahora estableceremos las fechas de inicio y fin del evento. Pulse en el icono de calendario del campo **Inicio** y use los botones de flecha redondos para situarse en el mes de agosto.

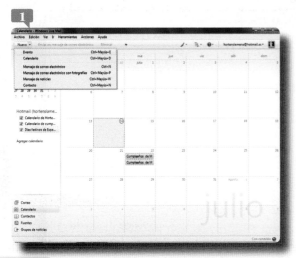

040

5. Seleccione, por ejemplo, el día **10 de agosto** como fecha de inicio de sus vacaciones.

6. Para indicar la fecha de finalización del evento, pulse el icono de calendario del campo **Fin** y elija, por ejemplo, el día **16 de agosto**.

7. También puede especificar la hora de inicio y de fin del evento, o indicar que durará todo el día. Active, en este caso, la opción **Todo el día** pulsando en su casilla de verificación.

8. El campo **Seleccionar un calendario** muestra seleccionado por defecto el calendario de la cuenta de Windows Live ID, pero puede escoger otro de los calendarios. En el siguiente campo, **Seleccionar una disponibilidad**, podemos elegir el modo en que queremos que se muestre nuestro estado de disponibilidad durante el evento para las personas que consulten el calendario. Haga clic en el botón **Seleccionar una disponibilidad** y elija la opción **Ausente**.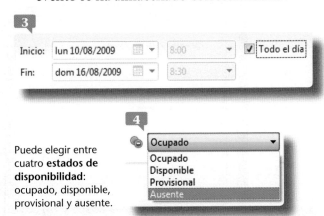

9. El campo **Establecer periodicidad**, por su parte, permite seleccionar la frecuencia con la que debe repetirse el evento (diaria, semanal, mensual o anualmente, etc.) En este caso, mantendremos seleccionada la opción **Sin repetición**. Por último, en el campo **Establecer un aviso** podemos indicar con cuánta antelación queremos recibir un aviso. Haga clic en el botón **Establecer un aviso** y elija la opción **1 semana** 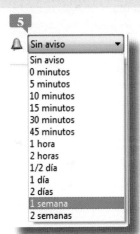 para recibir un aviso una semana antes de que se inicien las vacaciones.

10. En el campo de texto puede escribir opcionalmente una descripción del evento, aunque en este caso lo dejaremos en blanco. Pulse el botón **Guardar y cerrar**.

11. Para acabar, sitúese en el mes de agosto y compruebe que el evento se ha almacenado correctamente.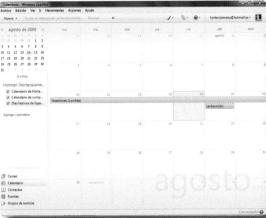

La opción **Establecer un aviso** sólo podrá activarse si ha iniciado sesión en Windows Live Mail con su cuenta Windows Live ID.

Puede elegir entre cuatro **estados de disponibilidad**: ocupado, disponible, provisional y ausente.

Añadir un calendario a Windows Live Mail

WINDOWS LIVE MAIL PERMITE GESTIONAR varios calendarios para tener controlados los eventos personales, los profesionales, etc. Cada calendario se puede codificar con un color para que los eventos se distingan claramente en ellos. Una vez agregados, los calendarios pueden eliminarse, editarse y definirse como principales.

1. En un ejercicio anterior vimos cómo se puede ocultar un calendario y cambiar su color. En éste le mostraremos cómo agregar, modificar y eliminar calendarios en Windows Live Mail. Para añadir un calendario puede usar el vínculo **Agregar calendario**, la opción **Calendario** del botón **Nuevo** o el comando **Nuevo calendario** del menú **Acciones**. Pulse sobre el vínculo **Agregar calendario**.

2. Se abre así el cuadro **Agregar un calendario**, en el que debemos especificar un nombre y un color para el calendario y, opcionalmente, convertirlo en el calendario principal y añadir una breve descripción del mismo. En el campo **Nombre del calendario** escriba la palabra **Trabajo**.

3. Elija, por ejemplo, la primera muestra de la última fila de colores, correspondiente al tono **Melocotón**.

4. Pulse ahora en el campo **Descripción** y escriba el término **Eventos profesionales**.

Para **abrir un evento** y ver o modificar sus propiedades sólo tiene que hacer doble clic sobre él en el panel del calendario.

041

5. Mantendremos desactivada la opción **Convertir este calendario en principal** para mostrarle cómo puede hacerlo sin acceder a este cuadro. Pulse el botón **Guardar** para añadir el nuevo calendario.

6. Automáticamente, el nuevo calendario se añade a la lista existente. 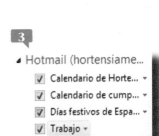 Cada calendario cuenta con un menú de opciones propio que permite agregar eventos, modificar sus propiedades, ocultarlo, etc. Pulse en el calendario **Trabajo** y elija la opción **Definir como calendario principal**. 4

7. El calendario se sitúa ahora en primer lugar. Vamos a comprobar que no es posible eliminar el calendario principal. Pulse de nuevo en el calendario **Trabajo** y ellija la opción **Eliminar**.

8. Pulse el botón **Cerrar** para salir del cuadro informativo. 5

9. Para poder eliminar el calendario **Trabajo**, debemos convertir otro en principal. Haga clic en el calendario del nombre de su cuenta y elija la opción **Definir como calendario principal**.

10. Ahora haga clic nuevamente en el calendario **Trabajo** y elija la opción **Eliminar**.

11. Confirme que desea eliminar el calendario **Trabajo** y todos los eventos creados en él pulsando el botón **Eliminar** del cuadro **Eliminar calendario**. 6

12. Por último, haga clic sobre cualquiera de los calendarios disponibles y pulse sobre la opción **Agregar calendarios ocultos a la lista** 7 para volver a mostrar el calendario que ocultamos en un ejercicio anterior.

Puede **mostrar u ocultar los eventos** de un determinado calendario pulsando en su correspondiente casilla de verificación.

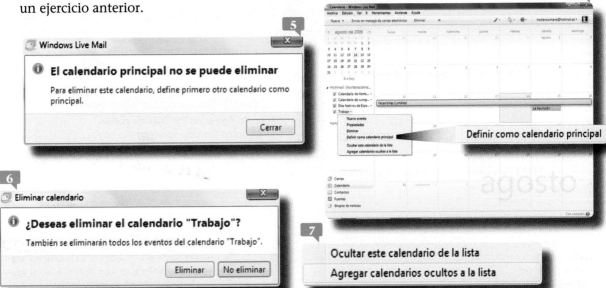

Enviar alertas del calendario

COMO SE VIO EN EL EJERCICIO DEDICADO a la adición de eventos, el cuadro Nuevo evento cuenta con un campo que permite enviar un aviso a la cuenta de correo electrónico, a la cuenta de Windows Live Messenger o al teléfono móvil del usuario. Esto evitará que olvide cualquier evento importante. Pero además, los eventos de Windows Live Mail pueden enviarse como correo electrónico a cualquier destinatario, operación que llevaremos a cabo en este ejercicio.

1. Imagine que desea compartir un evento añadido a su calendario con sus contactos de Windows Live Mail. Puede hacerlo enviándolo por correo electrónico. Para empezar, sitúese en el mes de **agosto** en su calendario y haga clic sobre el evento **Vacaciones** creado en un ejercicio anterior.

2. Para enviar el evento por correo electrónico puede usar el botón correspondiente de la Barra de herramientas o la opción **Enviar en correo electrónico** de su menú contextual. Pulse el botón **Enviar en mensaje de correo electrónico**.

3. Se abre de este modo la ventana de un nuevo mensaje de correo electrónico, que lleva por título el mismo que el del evento. Lo primero que debemos hacer es introducir la dirección o las direcciones de correo electrónico a las que queremos enviar el mensaje. En este caso, en el campo **Para** escriba la dirección ficticia **marcossm6@hotmail. com**.

Enviar en mensaje de correo electrónico

El botón **Enviar en mensaje de correo electrónico** también aparece en la ventana de creación de un nuevo evento.

Para: marcossm6@hotmail.com

Asunto: Vacaciones

Recuerde que puede pulsar el botón **Para** para acceder a su lista de contactos y seleccionar en ella a los destinatarios.

4. Como puede ver, como asunto del mensaje aparece también el término **Vacaciones** y en el cuerpo del mismo vemos la ubicación y las fechas de inicio y fin del evento, escritas con un formato predeterminado que puede modificar. Seleccione el cuerpo del mensaje haciendo clic al principio y al final del mismo mientras mantiene presionada la tecla **Mayúsculas**.

5. Ya sabe que puede usar las opciones de la **Barra de herramientas** de la ventana del mensaje para modificar la fuente, el tamaño, el color, el estilo, etc. En este ejemplo, pulse en el icono **Color de resaltado**, que muestra un lápiz y elija la muestra de color amarillo claro en la paleta de colores que aparece. 🔲

6. Para comprobar que el color de resaltado se aplica correctamente, pulse al final del texto para deseleccionarlo.

7. Ahora podemos enviar directamente el mensaje o guardarlo para enviarlo más adelante. Pulse el botón **Guardar**. 🔲

8. Un cuadro nos informa de que el mensaje se ha guardado en la carpeta **Borradores**. Cierre el cuadro **Mensaje guardado** pulsando el botón **Aceptar** 🔲 y salga también del cuadro de mensaje pulsando el botón de aspa de su **Barra de título**.

9. Para acabar, accederemos a la carpeta **Borradores** del elemento **Correo** y enviaremos definitivamente el mensaje a su destinatario. Active el elemento **Correo** pulsando en su botón. 🔲

10. Active la carpeta **Borradores** (que debería mostrar un 1 entre paréntesis) 🔲 y abra el mensaje de aviso con un doble clic.

11. Por último, pulse el botón **Enviar** de la ventana de mensaje y sitúese de nuevo en el elemento **Calendario**.

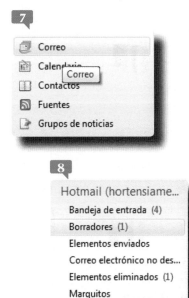

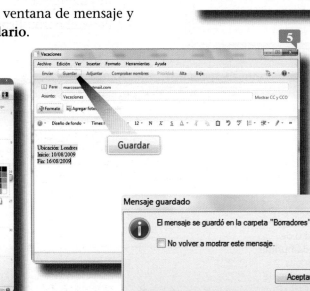

Imprimir un calendario de Windows Live Mail

SI DESEA DISPONER DE UNA COPIA IMPRESA de uno de sus calendarios de Windows Live Mail, puede utilizar la opción Imprimir del menú Archivo o ese mismo comando de la Barra de herramientas de la aplicación para imprimirlo. En el cuadro Imprimir deberá especificar las características de la impresión.

1. En el sencillo ejercicio que proponemos a continuación le mostraremos cómo imprimir un calendario de Windows Live Mail. Lógicamente, para poder llevar a cabo esta operación, es imprescindible que disponga de una impresora debidamente instalada y configurada en su equipo. Para empezar, use los botones de flecha redondos del calendario para situarse en el mes de **diciembre**.

2. Como puede comprobar, en este mes hay varios días festivos en España. Haga clic en el botón de doble punta de flecha de la **Barra de herramientas** de Windows Live Mail y pulse sobre la opción **Imprimir**.

3. Se abre de este modo el cuadro **Imprimir**, en el que debemos establecer las propiedades de la impresión. En primer ligar, haga clic en el botón de flecha del campo **Nombre** y seleccione su impresora.

4. Pulse el botón **Propiedades**.

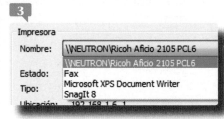

Sepa que también puede acceder al cuadro de diálogo **Imprimir** pulsando la combinación de teclas **Ctrl.+P**.

Puede utilizar la opción **Microsoft XPS Document Writer** para crear un documento con formato portátil a partir de su calendario. Si dispone de las aplicaciones Adobe Acrobat o Adobe Reader instaladas en su equipo, en esta lista también aparecerá la opción **Adobe PDF** de documento portátil.

5. El cuadro de propiedades dependerá del modelo de impresora con el que esté trabajando, pero en la mayoría de casos, desde él podrá modificar la orientación de la hoja, el orden de las páginas, la configuración de calidad, etc. En el apartado **Configuración de calidad**, active la opción **Borrador**.

6. Active la ficha **Presentación** pulsando en su pestaña, haga clic en el botón de flecha del campo **Orientación** y elija la opción **Horizontal**.

7. Pulse el botón **Aceptar** del cuadro de propiedades para volver al cuadro **Imprimir**.

8. En el apartado **Estilo de impresión** podemos elegir entre **Día**, **Semana** y **Mes**. En este caso, mantendremos seleccionada la opción **Mes**. Ahora especificaremos el intervalo de fechas del calendario que queremos imprimir. Haga clic en el icono de calendario que aparece en el campo **Inicio** y seleccione el día **1 de diciembre** en el pequeño calendario que aparece.

9. Para establecer la fecha final, pulse en el icono de calendario del campo **Fin** y seleccione el día **31 de diciembre**.

10. Sólo nos falta indicar el número de copias que queremos imprimir. Haga doble clic en el campo **Número de copias** y escriba el valor **2**.

11. Cuando se van a imprimir más de una copia, se activa la opción **Intercalar copias**, que permite imprimir primero todas las páginas 1, después todas las páginas 2 y así sucesivamente, o bien las páginas intercaladas en cada copia. Esta opción sólo es útil en los documentos que tienen más de una página. Pulse el botón **Aceptar** para proceder con la impresión y dar por acabado el ejercicio.

Añadir contactos a Windows Live Mail

LA LISTA DE CONTACTOS DE WINDOWS LIVE MAIL incluye los nombres, las direcciones, los números de teléfonos y otros datos de los contactos. Si se inicia sesión con el ID de Windows Live, el programa utiliza la lista de contactos asociada a esa cuenta.

1. Para empezar este ejercicio en el que aprenderemos a añadir contactos a Windows Live Mail, haga clic en el menú **Ir** y pulse sobre la opción **Contactos**. 🔲

2. Se abre el cuadro desde el que se gestionan los contactos, mostrando la lista de los que tiene agregados hasta ahora. Desde el comando **Ver** puede modificar el modo de visualización de los contactos. Pulse en ese comando y elija, por ejemplo, la opción **Lista con vista previa**. 🔲

3. Esta visualización muestra la lista de contactos a la izquierda y una vista previa de sus principales detalles a la derecha. Para agregar un nuevo contacto, pulse el botón **Nuevo**.

4. En el cuadro **Agregar un contacto** debemos introducir los detalles de nuestro contacto. Cuanto más completa sea la información, mejor, aunque no todos los campos son obligatorios. En el campo **Nombre** escriba el nombre de su contacto.

5. Haga clic en el campo **Apellidos** y escriba esa información.

También puede acceder al cuadro Contactos pulsando la combinación de teclas **Ctrl.+Mayúsculas+C**.

Puede mostrar primero el nombre o primero el apellido de sus contactos y ver una **lista simple** o con vista previa.

6. Lógicamente, para poder comunicarse con el contacto a través de mensajes de correo electrónico, la dirección de correo electrónico sí que es un dato imprescindible. Haga clic en el campo **Correo electrónico personal** y escriba la dirección de correo electrónico de su contacto.

7. Puede rellenar los campos **Teléfono particular** y **Compañía**, aunque en este ejemplo los dejaremos en blanco y pasaremos a ver el contenido de la ficha **Contacto**. Pulse sobre ella.

8. En esta ficha, como ve, puede consultar o modificar los números de teléfono y las direcciones de correo electrónico de su contacto, así como establecer cuál será la principal. Pulse en la ficha **Personal** para ver su contenido.

9. En esta ficha puede agregar información de carácter personal acerca del contacto (su dirección postal, su fecha de cumpleaños, etc.). Pulse el icono de calendario del campo **Cumpleaños** y marque la fecha de nacimiento de su contacto.

10. Para consultar y editar la información del contacto relativa a su trabajo, pulse en la pestaña **Trabajo**.

11. Aquí puede introducir la dirección, el teléfono y el sitio Web del trabajo de su contacto, su cargo, etc. Active la ficha **MI**.

12. En este apartado puede introducir la dirección de Windows Live Messenger u otra dirección de mensajería instantánea. Pulse en la pestaña **Notas**.

13. En el campo **Notas** puede introducir notas o comentarios sobre su contacto. Pulse en la pestaña **Identificadores**.

14. En esta ficha puede agregar, importar o exportar los identificadores digitales asociados a una dirección de correo electrónico. Tras consultar todas las fichas, pulse el botón **Agregar contacto** y compruebe que el contacto aparece en su lista.

Recuerde que para **desplazarse** por los meses debe usar los botones de flecha redondos.

Dirección de Windows Live Messenger:

Ejemplo: ejemplo@live.com o ejemplo@yahoo.com

Otra dirección de mensajería instantánea:

Si ha iniciado **sesión con Windows Live ID**, los cambios realizados en sus contactos en Windows Live Mail se aplican a los demás productos de Windows Live.

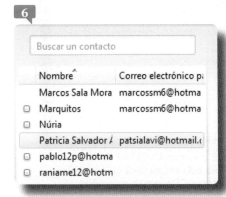

El proceso de **adición de contactos en Windows Live Mail** es el mismo que el visto en un ejercicio anterior para los contactos de Windows Live.

Modificar y eliminar contactos en Mail

TRAS AGREGAR UN CONTACTO A WINDOWS LIVE MAIL, puede acceder de nuevo a su cuadro de propiedades para añadir o modificar información así como asignar una categoría al contacto o eliminarlo de su lista.

1. En este ejercicio le mostraremos cómo modificar y eliminar contactos. En primer lugar, crearemos una nueva categoría a la que agregaremos el contacto creado en el ejercicio anterior. En la ventana de contactos de Windows Live, pulse sobre el vínculo **Crear una nueva categoría**.

2. En el campo **Escribir un nombre de categoría** del cuadro **Crear una nueva categoría** escriba, por ejemplo, la palabra **Familia**.

3. Seleccione el contacto agregado en el ejercicio anterior para agregarlo a la nueva categoría y pulse el botón **Guardar**.

4. Observe que la nueva categoría aparece ya en el panel de contactos y muestra un 1 entre paréntesis para indicar que hay un contacto. Puede agregar contactos a las diferentes categorías disponibles arrastrándolos hasta ellas o bien usando la opción **Copiar contacto en** de su menú contextual. Para editar las propiedades de un contacto, debe seleccionarlo y pulsar el comando **Editar** o la opción **Modificar contacto** de su menú contextual. Haga

También puede acceder al cuadro **Crear una nueva categoría** pulsando en la opción Categoría del comando Nuevo o en la opción Agregar categoría del menú Archivo.

Una vez creada la categoría, puede hacer doble clic sobre ella en el panel de contactos para acceder al cuadro **Editar categoría** y poder así añadirle otros contactos.

clic con el botón derecho del ratón sobre el contacto agregado en el ejercicio anterior y elija la opción **Modificar contacto** de su menú contextual.

5. Se accede así al cuadro **Modificar contacto** donde podemos ver el resumen del contacto seleccionado en primer término y acceder al resto de fichas para cambiar o añadir información. Haga clic en la pestaña **Personal**.

6. Pulse en el campo **Ciudad** y escriba la ciudad donde reside su contacto.

7. Ahora pulse en la categoría **Trabajo** y, en el campo **Compañía**, escriba el nombre de la empresa para la que trabaja su contacto.

8. De este modo tan sencillo puede ir completando o modificando la información de su contacto. Pulse el botón **Guardar**.

9. El proceso para eliminar un contacto es igual de sencillo. Se trata de seleccionarlo y usar el comando **Eliminar** o la opción **Eliminar contacto** de su menú contextual. En su lista de contactos, seleccione el que desea eliminar.

10. Haga clic sobre él con el botón derecho del ratón y elija la opción **Eliminar contacto** del menú contextual que se abre.

11. Un cuadro de diálogo nos advierte de que el contacto se eliminará de Hotmail, Messenger y otros servicios de Windows Live. Confirme la eliminación pulsando el botón **Aceptar y**, para dar por acabado este ejercicio, cierre el cuadro de contactos.

045

IMPORTANTE

Para eliminar una categoría, use la opción **Eliminar categoría** de su menú contextual. Si la categoría tiene contactos, un cuadro de diálogo le advertirá de que estos se moverán a la categoría predeterminada Todos los contactos.

Editar categoría

Eliminar categoría

El menú contextual de los contactos incluye también una opción que permite **enviar un correo electrónico** a cualquiera de las direcciones especificadas en el cuadro de propiedades del contacto.

Gestionar las fuentes RSS en Windows Live Mail

LAS SIGLAS RSS EQUIVALEN AL TÉRMINO INGLÉS Really Simple Syndication, sindicación de contenidos, y hacen referencia a un tipo de fuente Web diseñada específicamente para compartir titulares, publicaciones y otro tipo de contenido Web. Con Windows Live Mail puede suscribirse a fuentes RSS, editarlas, actualizarlas, etc.

1. Para acceder al elemento **Fuentes** de Windows Live Mail, pulse sobre el botón **Fuentes**.

2. Para agregar una fuente RSS puede usar el vínculo **Agregar fuente** o acceder al administrador de fuentes. Pulse el botón **Administrar fuentes**.

3. En el cuadro **Administrar las fuentes RSS**, por defecto vacío, pulse sobre el botón **Agregar fuente**.

4. En el cuadro **Agregar fuente RSS** debemos escribir la dirección URL de la fuente a la que desea suscribirse. A modo de ejemplo, escriba la dirección **http://www.hoycinema.com/rss/noticias.xml** y pulse el botón **Aceptar**.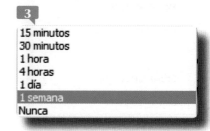

5. La nueva fuente se añade así a la lista. Ahora pulse el botón de flecha del campo **Actualizar las fuentes cada** y elija la opción **1 semana**.

6. Una vez agregada la nueva fuente RSS, pulse el botón **Cerrar**.

7. Para ver las noticias de la fuente RSS, pulse sobre su nombre, **hoyCinema**.

También puede acceder al elemento Fuentes desde el menú Ir o pulsando la combinación de teclas **Ctrl.+Mayúsculas+K**.

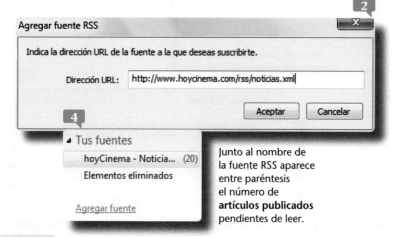

Agregar fuente RSS

Indica la dirección URL de la fuente a la que deseas suscribirte.

Dirección URL: http://www.hoycinema.com/rss/noticias.xml

Aceptar   Cancelar

▲ Tus fuentes
   hoyCinema - Noticia... (20)
   Elementos eliminados

Agregar fuente

Junto al nombre de la fuente RSS aparece entre paréntesis el número de **artículos publicados** pendientes de leer.

15 minutos
30 minutos
1 hora
4 horas
1 día
1 semana
Nunca

Aunque elija una periodicidad de actualización de las fuentes al agregarlas, puede sincronizarlas manualmente en cualquier momento pulsando el comando **Sincronizar**.

8. Para leer los mensajes, sólo tiene que pulsar sobre ellos. Haga clic sobre uno de los mensajes y lea su contenido en el Panel de vista previa.

9. Añadiremos ahora una segunda fuente RSS para después mostrarle cómo se elimina. Pulse en el vínculo **Agregar fuente**.

10. En el campo **Dirección URL** escriba ahora esta dirección de ejemplo: **http://www.poemasneruda.com/feeds/posts/default** y pulse **Aceptar**.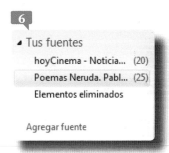

11. Pulse sobre la nueva fuente para ver sus artículos 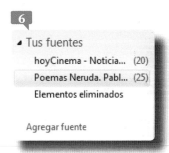 y después haga clic en el botón **Administrar fuentes**.

12. En el cuadro **Administrar las fuentes RSS**, haga clic en el botón de punta de flecha de la segunda fuente, la de poemas de Neruda, seleccione la fuente y pulse el botón **Editar fuente**.

13. El cuadro **Editar fuente RSS** permite modificar algunas particularidades de la fuente RSS, como el modo en que se muestran los artículos, el tipo de programación que se utiliza, el número de elementos que se conservan, etc. Cierre este cuadro pulsando el botón **Cancelar**.

14. Para acabar, eliminaremos la fuente. Pulse el botón **Eliminar**.

15. Confirme que desea eliminar permanentemente la fuente seleccionada pulsando el botón **Sí** del cuadro de advertencia que aparece y pulse el botón **No** del siguiente cuadro informativo para que la fuente no se elimine de la lista de fuentes comunes de Internet Explorer.

16. Por último, salga del cuadro **Administrar las fuentes RSS** pulsando el botón **Cerrar**.

Para que los mensajes se muestren como **leídos**, deberá abrirlos con un doble clic.

Los grupos de noticias en Windows Live Mail

LOS GRUPOS DE NOTICIAS SON UNA especie de tablón de anuncios en línea en el que se publican todo tipo de mensajes de las temáticas más diversas para conocimiento público y debate. Los grupos de noticias deben agregarse a Windows Live Mail como una nueva cuenta de noticias.

1. Para empezar este ejercicio, active el elemento **Grupos de noticias** pulsando en su correspondiente botón.

2. Por defecto, Windows Live Mail no dispone de ninguna cuenta de grupo de noticias. Para agregarla, pulse en el vínculo **Agregar cuenta de grupo de noticias**.

3. Se abre un asistente para agregar una cuenta de grupo de noticias. En primer lugar, debemos especificar el nombre para mostrar de la cuenta, es decir el nombre que aparecerá cuando publiquemos o enviemos mensajes a un grupo de noticias. Escriba su nombre y pulse el botón **Siguiente**.

4. En el siguiente paso, debemos escribir la dirección de correo electrónico a la que otros usuarios del grupo de noticias pueden remitir sus mensajes. Escriba su dirección de correo electrónico y pulse el botón **Siguiente**.

5. Ahora hay que introducir el servidor de noticias al que queremos conectarnos. A modo de ejemplo, escriba la dirección ms**news.microsoft.com** y pulse **Siguiente**.

También puede acceder a los grupos de noticias desde el menú Ir o pulsando la combinación de teclas **Ctrl.+Mayúsculas+L**.

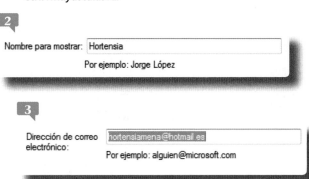

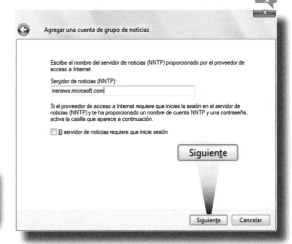

6. Para agregar definitivamente la nueva cuenta de noticias, pulse el botón **Finalizar**.

7. Un cuadro de diálogo nos informa de que la cuenta aún no está suscrita a ningún grupo de noticias. Para ver una lista de los grupos disponibles, pulse el botón **Sí**.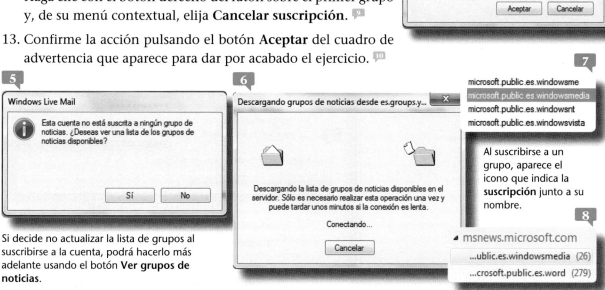

8. En función del número de grupos disponibles en la dirección especificada, el proceso de descarga será más o menos largo. Cuando acabe, se mostrarán en el cuadro **Suscripciones a grupos de noticias** todos los disponibles. Utilice la **Barra de desplazamiento vertical** para desplazarse por la lista, seleccione, por ejemplo, el grupo **microsoft.public.es.windowsmedia** y pulse el botón **Suscribirse**.

9. Siga bajando por la lista de grupos de noticias, suscríbase también al grupo en español **microsoft.public.es.word** y pulse el botón **Aceptar**.

10. Los dos grupos de noticias se añaden a la cuenta de noticias en el panel de carpetas. Entre paréntesis puede ver el número de artículos publicados en cada grupo en este momento. Haga doble clic sobre uno de los mensajes del primer grupo para descargarlo.

11. Se abre la ventana del mensaje, desde la que puede responder al grupo o al remitente del mensaje, etc. Cierre esta ventana pulsando el botón de aspa de su **Barra de título**.

12. Para acabar, cancelaremos la suscripción a uno de los grupos. Haga clic con el botón derecho del ratón sobre el primer grupo y, de su menú contextual, elija **Cancelar suscripción**.

13. Confirme la acción pulsando el botón **Aceptar** del cuadro de advertencia que aparece para dar por acabado el ejercicio.

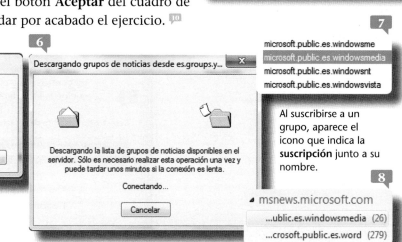

9

- Ponerse al día
- Suscribirse
- Cancelar suscripción
- Configuración de sincronización
- Agregar a la vista compacta
- Propiedades

10

Windows Live Mail

¿Realmente deseas cancelar la suscripción a "microsoft.public.es.windowsmedia"?

No volver a mostrar este mensaje.

Aceptar   Cancelar

7

microsoft.public.es.windowsme
microsoft.public.es.windowsmedia
microsoft.public.es.windowsnt
microsoft.public.es.windowsvista

Al suscribirse a un grupo, aparece el icono que indica la **suscripción** junto a su nombre.

8

▴ msnews.microsoft.com
  ...ublic.es.windowsmedia (26)
  ...crosoft.public.es.word (279)

5

Windows Live Mail

Esta cuenta no está suscrita a ningún grupo de noticias. ¿Deseas ver una lista de los grupos de noticias disponibles?

Sí   No

Si decide no actualizar la lista de grupos al suscribirse a la cuenta, podrá hacerlo más adelante usando el botón **Ver grupos de noticias**.

6

Descargando grupos de noticias desde es.groups.y...

Descargando la lista de grupos de noticias disponibles en el servidor. Sólo es necesario realizar esta operación una vez y puede tardar unos minutos si la conexión es lenta.

Conectando...

Cancelar

Agregar cuentas de blog a Windows Live Writer

CON WINDOWS LIVE WRITER, puede crear y gestionar su blog de manera rápida y sencilla. Es posible agregar fotos y vídeos, aplicar formato a todos sus componentes y publicar en la mayoría de los servicios de blog.

1. En este ejercicio veremos cómo agregar una cuenta de blog a Windows Live Writer. Para empezar, accederemos a la aplicación. Pulse el botón **Iniciar** de la **Barra de tareas**, haga clic en el comando **Todos los programas**, abra la carpeta de **Windows Live** y elija el programa **Windows Live Writer.**

2. Antes de acceder a la aplicación debemos configurarla siguiendo los pasos de un asistente. Recuerde que en los primeros ejercicios de este libro le mostramos cómo crear un espacio en Windows Live Spaces aprovechando la cuenta de Windows Live ID. Active la opción **Windows Live Spaces** en el primer paso del asistente y pulse el botón **Siguiente.**

3. En la siguiente ventana del asistente, escriba su **ID de Windows Live**, haga clic en el campo **Contraseña**, escriba esa información y pulse el botón **Siguiente**.

4. En pocos segundos el blog queda configurado. Escriba el alias para su blog, desactive la opción **Ir a este blog** y pulse el botón **Finalizar**.

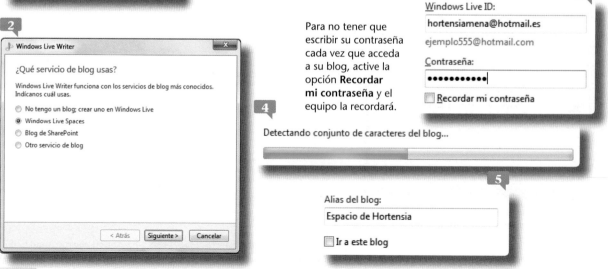

Para no tener que escribir su contraseña cada vez que acceda a su blog, active la opción **Recordar mi contraseña** y el equipo la recordará.

048

5. Se abre la ventana principal de Windows Live Writer en modo de edición para que escriba la nueva entrada de su blog. El fondo de la página coincide con el que escogió en su momento para su espacio. Pulse el botón que aparece en la esquina superior derecha de la interfaz de Windows Live Writer.

6. Si dispone de varias cuentas, puede cambiarlas desde este menú. Además, también puede acceder a su blog, cambiar su configuración y agregar nuevas cuentas de blog. Pulse en la opción **Editar configuración del blog**.

7. En la ficha **Cuenta** del cuadro **Editar configuración del blog** puede ver las propiedades de su cuenta. Puede usar el botón **Actualizar configuración de cuenta** para corregir posibles errores en la dirección Web del blog. Active la categoría **Imágenes**.

8. En esta categoría puede escoger entre cargar las imágenes de sus entradas de blog en el propio blog o en un servidor FTP que deberá configurar. Mantenga activada la opción **Cargar imágenes en mi blog** y pulse en la categoría **Editar**.

9. Desde esta ficha puede actualizar el tema de fondo de su blog y determinar la dirección del texto, por defecto de izquierda a derecha. Pulse en la categoría **Complementos**.

10. Si ha añadido complementos para el blog, aquí puede seleccionarlos y modificar su orden. Pulse en la categoría **Avanzadas**.

11. En esta última ficha puede establecer la codificación utilizada para las entradas, el tipo de marcado y las opciones de reemplazo. Mantenga la configuración predeterminada y pulse el botón **Aceptar** para dar por acabado el ejercicio.

Writer muestra por defecto el fondo aplicado en su espacio; si lo modifica, pulse el botón **Actualizar tema** para cambiarlo también en Writer y poder ver el aspecto que tendrán sus entradas.

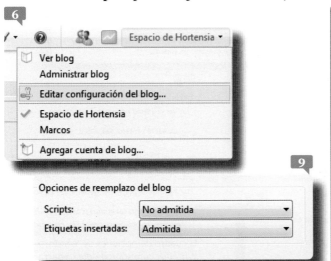

Establecer las opciones de Windows Live Writer

EL CUADRO DE OPCIONES DE WINDOWS LIVE WRITER, al que se accede desde el menú Herramientas, permite configurar el modo de actuación de esta aplicación para editar y publicar blogs.

1. Para empezar, abra el menú **Herramientas** y pulse sobre el comando **Opciones**. **1**

2. Desde el apartado **Preferencias** es posible cambiar el uso de las ventanas y establecer el modo de publicación de las entradas en el blog. Haga clic en el botón de opción **Abrir una ventana nueva para cada entrada**. **2**

3. Como ve, por defecto se verá la entrada tras publicarla y se recordará que hay que especificar un título antes de publicar. Active también la opción **Recordar agregar categorías antes de publicar** pulsando en su casilla de verificación. **3**

4. Pulse ahora en la categoría **Editar** para ver sus opciones.

5. Para que Windows Live Writer guarde automáticamente los borradores, haga clic en la casilla de verificación de la primera opción de esta categoría; **4** después, haga doble clic en el campo **minutos** y escriba el valor **5**.

6. Haga clic en la categoría **Cuentas**.

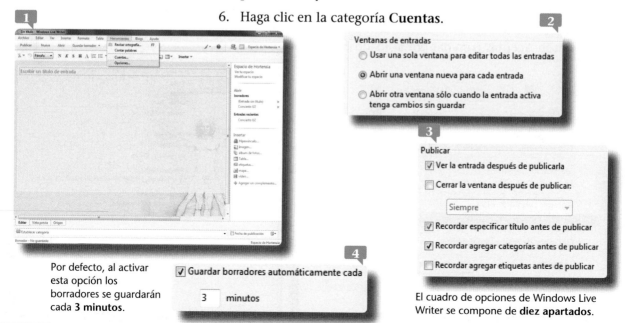

Por defecto, al activar esta opción los borradores se guardarán cada **3 minutos**.

El cuadro de opciones de Windows Live Writer se compone de **diez apartados**.

7. En esta sección puede agregar cuentas y editar o eliminar las ya existentes. Si dispone de más de una cuenta configurada, seleccione la secundaria y pulse el botón **Eliminar**.

8. Confirme que desea eliminar el blog seleccionado pulsando el botón **Sí** del cuadro **Confirmar la eliminación**.

9. Active ahora la categoría **Agregar entrada** y, tras comprobar cuál es el blog predeterminado y los tipos de contenido admitidos, pase a la categoría **Ortografía**.

10. En este apartado se pueden definir opciones generales de ortografía, como el idioma del diccionario que usa la aplicación, la revisión ortografía en tiempo real o antes de publicar, etc. Haga clic en la casilla de verificación de la opción **Revisar la ortografía antes de publicar**.

11. Pulse en la categoría **Vinculación automática** y, tras comprobar que desde aquí puede agregar, editar y eliminar vínculos automáticos a direcciones URL, active la ficha **Complementos**.

12. Desde esta categoría se gestionan los complementos que amplían la funcionalidad de Windows Live Writer. Pase a la categoría **Servidor proxy Web**.

13. Si utiliza un servidor proxy Web, en esta ficha puede configurarlo indicando su dirección, el puerto y los datos de usuario. Pulse en la categoría **Servidor notificaciones**.

14. En esta ficha puede activar la opción para enviar pings a la direcciones URL que especifique. Mantenga desactivada esta opción y vea el contenido de la última ficha, **Privacidad**.

15. Esta ficha incluye una opción que puede activar para que Microsoft recopile información sobre su uso del programa para mejorarlo. Pulse los botones **Aplicar** y **Aceptar** para salir del cuadro **Opciones** y dar por acabado el ejercicio.

049

Para editar la **plantilla HTML** correspondiente a uno de los **tipos de contenido** admitidos, selecciónelo en la categoría Agregar entrada del cuadro de opciones y pulse el botón **Personalizar**.

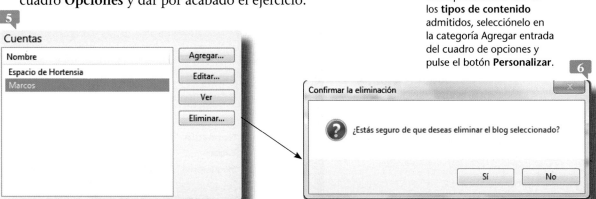

Escribir entradas de blog con Windows Live Writer

ESCRIBIR UNA ENTRADA DE BLOG con Windows Live Writer no reviste ninguna dificultad. Se trata únicamente de que escriba el texto que desea ver publicado en su blog y compartir con otros usuarios y defina el formato de dicho texto.

1. Recuerde que según la configuración predeterminada de Windows Live Writer, si no se escribe un título para la entrada de blog, el programa nos recordará que debemos hacerlo antes de publicarla. Empezaremos, por tanto, llevando a cabo esta acción. Haga clic en el vínculo **Escribir un título de entrada** 🗩 y escriba, a modo de ejemplo, el título **Esta entrada es una prueba**.

2. Pulse la tecla **Retorno** para crear una línea en blanco y escriba un texto de ejemplo para publicar en su blog. 🗩

3. Ahora pasaremos a modificar el formato del texto. Manteniendo la tecla **Mayúsculas** pulsada, haga clic al inicio del mismo para seleccionarlo todo.

4. Como ve, Windows Live Writer aplica por defecto el estilo de texto **Párrafo**. Puede utilizar el botón **Cambiar estilo para aplicar** otro de los estilos predeterminados disponibles, o bien usar las herramientas de la **Barra de herramientas** o las opciones del menú **Formato** para modificar las propiedades del texto. Abra ese menú y pulse en la opción **Fuente**. 🗩

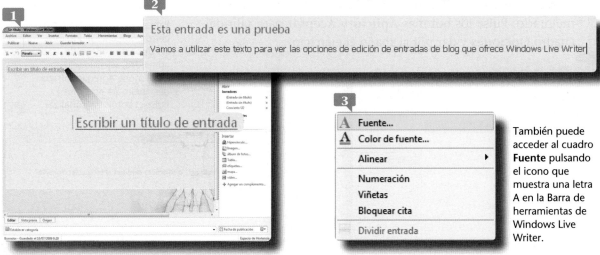

También puede acceder al cuadro **Fuente** pulsando el icono que muestra una letra A en la Barra de herramientas de Windows Live Writer.

050

5. En el cuadro **Fuente**, desplácese por la lista de fuentes instaladas con ayuda de la **Barra de desplazamiento** hasta localizar la fuente **Palatino Linotype**, por ejemplo, y selecciónela.

6. Mantenga seleccionado el estilo **Normal** y pulse sobre el tamaño **14**.

7. Ahora pulse en el botón de flecha del campo **Color**, elija, por ejemplo, el color **Oliva** y aplique los cambios pulsando el botón **Aceptar**.

8. Además de la fuente, también es posible cambiar la alineación del texto, por defecto a la izquierda, y aplicarle una numeración o viñetas. Pulse en el icono **Viñetas**, el que muestra una lista con viñetas en la **Barra de herramientas**.

9. Si desea marcar una cita muy larga tomada de un origen externo y separarla de su propio texto, puede activar la opción **Bloquear cita**, que encontrará tanto en el menú **Formato** como en la **Barra de herramientas**. Del mismo modo, si su entrada es muy larga, puede hacer que sólo aparezca una parte de la misma de manera que los visitantes tengan que pulsar sobre ese vínculo para poder leerla entera. Para ello, primero hay que seleccionar la parte que se desea ocultar y activar la opción **Dividir entrada**. Una vez definido el formato de la entrada, conviene revisar la ortografía. Abra el menú **Herramientas** y pulse en la opción **Revisar ortografía**.

10. El cuadro **Revisar ortografía** le irá mostrando las palabras que el programa no encuentra en su diccionario. Si desea agregar alguna, pulse el botón **Agregar**. Para corregirlas por alguna de las sugerencias, pulse los botones **Cambiar** o **Cambiar todo**. Cuando acabe la revisión, pulse el botón **Aceptar** del cuadro de diálogo que aparece para acabar el ejercicio.

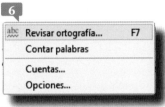

También puede activar la corrección ortográfica pulsando la tecla **F7**.

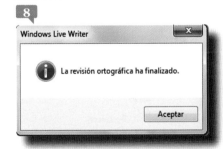

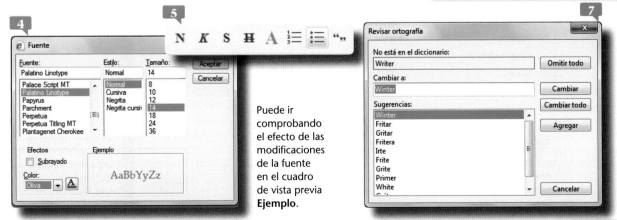

Puede ir comprobando el efecto de las modificaciones de la fuente en el cuadro de vista previa **Ejemplo**.

Indicar la categoría y la fecha de una entrada

PODEMOS PUBLICAR TODO TIPO DE ENTRADAS en nuestro blog y clasificarlas en diferentes categorías en función del tema al que hacen referencia. Windows Live Writer ofrece una lista de categorías predeterminadas a las que podemos añadir otras personalizadas. Tanto este dato como la fecha de publicación de una entrada se especifican seleccionándolos en la parte inferior de la interfaz del programa.

1. En este sencillo ejercicio veremos cómo agregar una categoría a la lista de predeterminadas, cómo asignarla a una entrada de blog y cómo establecer su fecha de publicación. Observe que en la parte inferior de Windows Live Writer se encuentran las opciones **Establecer categoría** y **Fecha de publicación**. Puede usar el botón de punta de flecha de la primera para agregar una categoría, aunque en este caso lo haremos desde el menú **Editar**. Ábralo y pulse en la opción **Categorías**.

2. Como ve, por defecto se encuentra seleccionada la opción Ninguna. Par añadir nuestra propia categoría, haga clic en el campo **Nombre de categoría**, escriba la palabra **Conciertos** y pulse el botón **Agregar**.

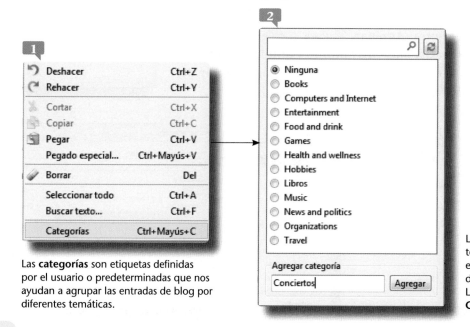

Las **categorías** son etiquetas definidas por el usuario o predeterminadas que nos ayudan a agrupar las entradas de blog por diferentes temáticas.

La combinación de teclas que muestra el panel Categorías de Windows Live Writer es **Ctrl.+Mayúsculas+C**.

051

3. Automáticamente la lista se actualiza y pasa a mostrar seleccionada la categoría que acabamos de crear. Sepa que si crea nuevas categorías de entradas de blog en su espacio de Windows Live, éstas se añadirán a la lista de Windows Live Writer al pulsar el botón **Actualizar lista**, situado junto al cuadro de búsqueda. Cierre el panel **Categorías** pulsando fuera de él.

4. Tenga en cuenta que, según lo especificado en las preferencias de Windows Live Writer, si no asigna una categoría a su entrada, antes de publicarla el programa le pedirá que lo haga. Vamos a por la fecha de publicación de la entrada. Pulse en la casilla de verificación del campo **Fecha de publicación**.

5. Observe lo que ocurre. Automáticamente se activan la fecha y la hora actuales. Para cambiar este dato, pulse el icono de calendario que aparece en este campo.

6. Utilizando los botones de punta de flecha del pequeño calendario que aparece, desplácese por los meses hasta localizar el mes de **diciembre** y seleccione el día **14**, por ejemplo.

7. Siempre podrá recuperar la fecha actual pulsando en el vínculo **Hoy** de este calendario. Si seleccionada una fecha pasada, la entrada aparecerá como si se hubiese publicado en esa fecha; si, por el contrario, elige una fecha futura, la entrada no se publicará en el blog hasta esa fecha. (Algunos servicios de blog no permiten guardar publicaciones con fecha futura.) Recuerde también que, según lo indicado en las opciones de edición del programa, los borradores de entradas se almacenan automáticamente cada 5 minutos. Para acabar este ejercicio, compruebe que la entrada que estamos editando se ha guardado ya en el apartado **borradores** viendo la lista que aparece en el **Panel de tareas**, en la parte derecha de Windows Live Writer.

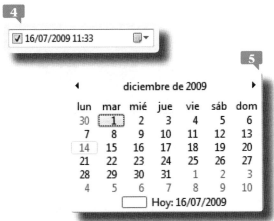

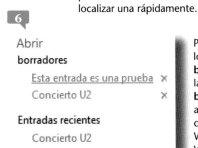

Si la **lista de categorías** es muy extensa, puede usar el cuadro de búsqueda para localizar una rápidamente.

Pulsando sobre los vínculos de los **borradores** o de las **entradas de blog recientes** abrirá estos documentos en Windows Live Writer.

Insertar imágenes en una entrada de blog

ENTRE LOS MÚLTIPLES ELEMENTOS que puede insertar en una entrada de blog para hacerla más atractiva se encuentran las imágenes. Puede publicar fácil y rápidamente cualquier imagen que tenga almacenada en su equipo.

1. Para insertar imágenes en una entrada de blog puede utilizar el vínculo **Imagen** del **Panel de tareas**, la opción **Imagen** del menú **Insertar** o el comando **Insertar imagen** de la **Barra de herramientas** de Windows Live Writer. Haga clic en el vínculo **Imagen** del apartado **Insertar** del **Panel de tareas**.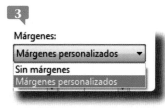

2. Se abre el cuadro **Insertar imagen**, en el que debemos localizar y seleccionar la imagen que queremos publicar en el blog. En este caso, utilizaremos una de las imágenes de muestra de Windows 7. Use, si es necesario, la **Barra de desplazamiento vertical** para localizar la carpeta **Imágenes de muestra** y ábrala con un doble clic.

3. Pulse sobre una de las imágenes de muestra disponibles y haga clic en el botón **Abrir**.

4. Automáticamente la imagen se inserta en el documento, en el punto en que se encontraba el cursor de edición. Con los controles del panel **Imagen** puede editarla. Empezaremos añadiéndole márgenes. Pulse el botón de flecha del campo **Márgenes** y elija la opción **Márgenes personalizados**.

Puede ocultar el **Panel de tareas** de Windows Live Writer desactivándolo en el menú Ver o pulsando la tecla F9.

La opción **Márgenes personalizados** permite definir los cuatro márgenes de la imagen.

052

5. Ahora puede establecer valores para los márgenes superior, derecho, inferior e izquierdo. Pulse el botón de flecha que señala hacia arriba en el campo **Superior** para establecer un margen superior de **10 puntos**.

6. A continuación, pulse en el botón de flecha del campo **Bordes** y elija la opción **Reflejo**, por ejemplo.

7. El campo **Vincular a** le permite vincular la imagen a su correspondiente original, a una dirección URL o a ningún elemento. Mantendremos la vinculación a la imagen de origen. Pulse en la pestaña **Avanzadas**, a la derecha de la pestaña **Imagen**.

8. En esta ficha puede definir el tamaño de la imagen y ejecutar acciones como girarla, recortarla, inclinarla, cambiar su contraste, etc. Además, puede cambiar el texto alternativo que aparecerá al colocar sobre ella el puntero del ratón. Pulse el botón del campo **Tamaño** y elija el tamaño **Mediano**.

9. Ahora pulse en el vínculo **Contraste** del apartado **Acciones**.

10. En el cuadro **Contraste**, arrastre los reguladores de **Brillo** y **Contraste** hasta dar con el aspecto que más le guste y pulse el botón **Aceptar**.

11. Por último, active la ficha **Efectos**, la tercera del panel **Imagen** y pulse el botón **Agregar efecto**, representado por un + verde.

12. Como ve, puede convertir la imagen a blanco y negro o a tono sepia, ajustar su temperatura, etc. Pulse en la opción **Desenfoque gaussiano** para desenfocar ligeramente la imagen y, para acabar con el retoque, deseleccione la imagen pulsando en cualquier zona libre de la página.

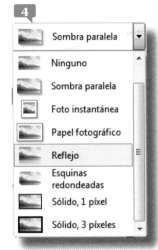

Recuerde que puede recuperar el aspecto original de la imagen pulsando en el vínculo **Recuperar configuración predeterminada** y que puede almacenar la configuración personalizada pulsando en el vínculo **Guardar la configuración como predeterminada**.

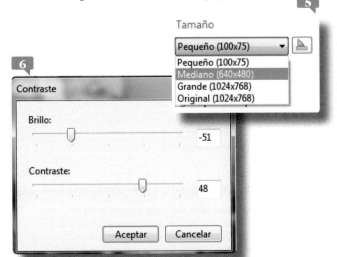

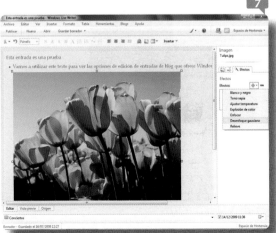

Insertar otros elementos en una entrada de blog

ADEMÁS DE IMÁGENES, Windows Live Writer nos permite agregar otros elementos a nuestras entradas de blog: hipervínculos, tablas, etiquetas, mapas, vídeos e incluso álbumes de fotos. En este ejercicio, veremos cómo añadir algunos de estos elementos.

1. Para empezar, haga clic tras la imagen añadida en el ejercicio anterior y, para insertar un salto de línea, pulse la combinación de teclas **Mayúsculas+Retorno**.

2. En este punto, insertaremos un hipervínculo a una página Web. Abra el menú **Insertar** y pulse en la opción **Hipervínculo**.

3. En el cuadro **Hipervínculo** debemos introducir la dirección URL a la que queremos que dirija el vínculo y el texto que se mostrará. Pulse tras el protocolo **http://** en el campo **Dirección URL** y escriba la dirección de ejemplo **www.mediaactive.es**.

4. Seguidamente, haga clic en el campo **Texto** que se mostrará y escriba el texto de ejemplo **Ver la página de Mediaactive**.

5. Puede hacer que el vínculo se abra en otra ventana del navegador y que se cree un vínculo automático al insertar un vínculo en una entrada de blog activando las dos opciones de este cuadro. En este caso, sin embargo, las dejaremos desactivadas, pulse el botón **Insertar** para crear el hipervínculo.

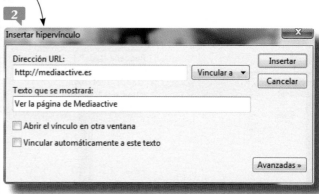

Si pulsa el botón **Avanzadas** del cuadro **Insertar hipervínculo** podrá añadir un texto alternativo que aparecerá al señalar el vínculo y elegir la forma en que el vínculo se relacionado con la dirección Web o con el contenido de la entrada de blog.

053

6. Ahora veremos cómo insertar un mapa. Pulse la combinación de teclas **Mayúsculas+Retorno** para añadir un salto de línea.

7. Pulse sobre el vínculo **mapa** del **Panel de tareas**.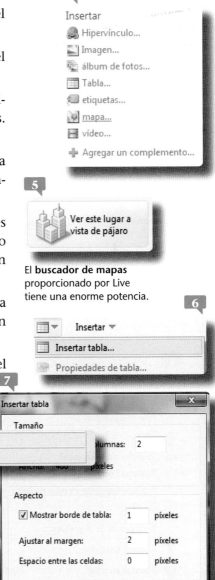

8. Se abre el cuadro **Insertar mapa** en el que podemos buscar una localización gracias al servicio Live Search Maps. Haga clic en el campo **Buscar ubicación**, escriba, a modo de ejemplo, **calle pallars Barcelona** y pulse el icono de lupa.

9. Automáticamente el mapa muestra el plano de la zona en que se sitúa esta calle. Aumente el zoom pulsando tres veces en el botón con un signo + situado a la izquierda del plano.

10. Pulse en el botón **Ver este lugar a vista de pájaro** y pulse el botón **Insertar** para añadirlo a la entrada de blog.

11. Observe que, al igual que ocurre con las fotografías, puede editar algunas propiedades del mapa desde el **Panel de tareas**. Deseleccione el mapa pulsando a su derecha.

12. Para acabar, le mostraremos cómo insertar una tabla en una entrada de blog. Pulse en el icono **Tabla** de la **Barra de herramientas** y elija la opción **Insertar tabla**.

13. En el cuadro **Insertar tabla** debemos definir las propiedades de la tabla. Mantenga los valores que aparecen en el apartado **Tamaño**, haga clic en la casilla de verificación de la opción **Mostrar borde de tabla** y pulse el botón **Insertar**.

14. Acabaremos el ejercicio eliminándola. Haga clic en la primera celda de la tabla, abra el menú **Tabla** y pulse en la opción **Eliminar tabla**.

15. Confirme que desea eliminar la tabla pulsando el botón **Sí** del cuadro de diálogo que aparece.

El **buscador de mapas** proporcionado por Live tiene una enorme potencia.

Situándose dentro de la tabla, puede modificar sus propiedades usando las opciones del botón **Insertar tabla** o del menú **Tabla**.

Guardar y eliminar borradores de entradas

EN LA FICHA EDITAR del cuadro de opciones de Windows Live Writer disponemos de una opción que permite que el programa vaya almacenando automáticamente los borradores cada x minutos. Si no tiene esa opción activada o desea guardar manualmente los borradores, puede hacerlo usando la opción Guardar borrador. Igualmente, puede eliminar los borradores que ya no necesite.

1. Recuerde que en el ejercicio dedicado a las opciones de Windows Live Writer establecimos que el programa debía guardar automáticamente los borradores de entradas cada 5 minutos. Aunque esta periodicidad es bastante adecuada para no perder datos, usted puede almacenar manualmente los cambios siempre que quiera. Veamos cómo. En primer lugar, crearemos una nueva entrada. Abra el menú **Archivo** y pulse en la opción **Nueva entrada**.

2. Según lo establecido también en las opciones del programa, la nueva entrada se abre en una nueva ventana. Haga clic en el campo **Escribir un título de entrada** y escriba, a modo de ejemplo, el término **Guardar borrador**.

3. Para almacenar por primera vez la entrada como borrador, pulse el botón **Guardar borrador**.

El botón **Guardar borrador** incluye también las opciones Publicar borrador en blog y Publicar borrador y editar en línea.

054

4. Puede comprobar que en la sección **borradores** del **Panel de tareas** aparece un vínculo a nuestra entrada, lo que indica que el programa la ha almacenado correctamente. Si sigue realizando cambios en la página y desea almacenarlos rápidamente, sin tener que esperar al guardado automático, puede pulsar el comando **Guardar borrador** (como acabamos de ver) y bien la opción **Guardar borrador local** del menú **Archivo**.

5. Ahora cerraremos esta entrada y volveremos a abrirla desde el **Panel de tareas** de la entrada de prueba anterior. Abra el menú **Archivo** y pulse en la opción **Cerrar**.

6. Observe que el vínculo al borrador **Guardar borrador** también aparece en el **Panel de tareas** de la otra entrada. Pulse sobre él para volver a abrirlo.

7. Efectivamente, la entrada se abre tal y como la almacenamos la última vez. Para acabar este sencillo ejercicio, veremos cómo eliminar borradores de entradas. Cierre esta ventana pulsando el botón de aspa de su **Barra de título**.

8. Para eliminar el borrador abierto, puede utilizar la opción **Eliminar borrador** del menú **Archivo** o bien el botón de aspa de dicho borrador del **Panel de tareas**. Para eliminar un borrador cerrado, sólo puede utilizar la segunda opción. Pulse el botón de aspa del borrador **Guardar borrador** del **Panel de tareas**.

9. Por último, confirme que desea eliminar el borrador de entrada **Guardar borrador** pulsando el botón **Sí** del cuadro **Confirma la eliminación** y vea cómo el vínculo desaparece automáticamente del **Panel de tareas**.

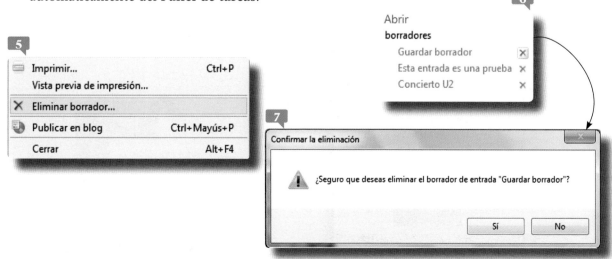

Obtener la vista previa de una entrada y publicarla

TRAS EDITAR LA ENTRADA DE BLOG añadiéndole el texto y los demás elementos que queremos publicar (imágenes, tablas, hipervínculos, vídeos, mapas etc.), llega el momento de ver cómo está quedando y cuál será su aspecto cuando la "colguemos" definitivamente en el blog.

1. Para obtener la vista previa de una entrada de blog y ver exactamente el aspecto de las fuentes, el espaciado, los colores y las imágenes y otros elementos antes de publicar, puede utilizar la opción **Vista previa** del menú **Ver**, pulsar la tecla **F12** o bien activar la ficha **Vista previa**. Ejecute esta última acción pulsando en la pestaña correspondiente de la parte inferior de Windows Live Writer.

2. Automáticamente, en función de la cuenta de blog que haya establecido al configurar el programa, podrá ver el aspecto de la entrada en su blog (en este ejemplo, es el blog de Windows Live Spaces). Haga clic en la parte inferior de la **Barra de desplazamiento vertical** las veces que necesite para ver la entrada de prueba completa y pulse en el vínculo **Ver la página de Mediaactive** para comprobar que funciona correctamente.

3. Efectivamente, en una nueva ventana del navegador se abre la página Web especificada. Cierre esta ventana pulsando el botón de aspa de su **Barra de título**.

| Editar | Vista previa | Origen |

055

4. Si el aspecto de la entrada le parece correcto, puede pasar a publicarla desde esta misma vista previa. Pulse el botón **Publicar**.

5. El cuadro **Publicar entrada ahora** nos advierte de que la fecha de publicación especificada es futura, pero si publicamos la entrada, ésta se visualizará en el blog de forma inmediata. Pulse el botón **Publicar ahora**.

6. Para publicar definitivamente la entrada, deberá iniciar sesión en Windows Live. Introduzca su **Windows Live ID** y su **contraseña** en los campos adecuados del cuadro **Windows Live Writer** y pulse el botón **Aceptar**.

7. Si desea que el navegador abra el blog al finalizar la publicación, deje activada la opción **Ver en el explorador al finalizar la publicación**. Lógicamente, la duración de la publicación dependerá de la cantidad de contenido que se deba exportar. Cuando el proceso acaba, se abre su espacio de Windows Live Spaces, si ha realizado todos los ejercicios de este libro o el blog que haya especificado al configurar Windows Live Writer. Compruebe que el resultado es correcto desplazándose por la página y cierre el navegador pulsando el botón de aspa de su **Barra de título**.

8. Como ha podido comprobar, no resulta nada difícil mantener al día su blog gracias a la enorme funcionalidad de Windows Live Writer. Acabe la sección dedicada e esta aplicación pulsando el botón de aspa de su **Barra de título** para cerrarla.

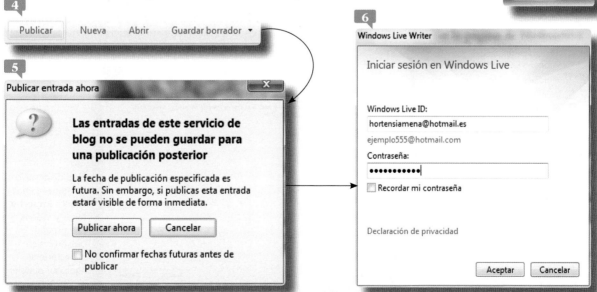

123

Importar fotos a la Galería fotográfica de Live

LA GALERÍA FOTOGRÁFICA DE WINDOWS LIVE permite descargar al equipo fotos y vídeos desde una cámara digital, una tarjeta de memoria, un escáner, un álbum de Windows Live Spaces, un CD o un DVD, para después editarlos para mejorar su aspecto, crear increíbles panorámicas y compartirlos con sus contactos creando un álbum en línea o enviándolos por correo electrónico.

1. En este ejercicio aprenderemos a importar fotografías a la Galería fotográfica de Windows Live. Para empezar, pulse en el botón **Iniciar**, haga clic en el elemento **Todos los programas**, abra la carpeta **Windows Live** y elija el programa **Galería fotográfica de Windows Live**.

2. Una vez haya conectado su cámara de fotos digital al equipo o bien haya introducido la tarjeta de memoria en la ranura adecuada del PC, abra el menú **Archivo** y pulse en la opción **Importar desde una cámara o escáner**.

3. En el cuadro **Importar fotos y vídeos** debe seleccionar el dispositivo desde el que va a importar las imágenes a la **Galería**. Hágalo y pulse el botón **Importar**.

4. El asistente para la importación indica ahora el número de elementos nuevos que ha localizado y permite elegir entre revisarlos, organizarlos y agruparlos o bien proceder directamente

Si su dispositivo no aparece en el cuadro **Importar fotos y vídeos**, compruebe que está bien conectado al equipo y pulse el botón **Actualizar**.

con la importación. Mantenga la primera opción activada y pulse el botón **Siguiente**.

5. Ahora debe seleccionar los grupos de imágenes que desea importar; por defecto, las fotos y los vídeos se agrupan por fecha y hora y cada grupo se almacenará en una carpeta diferente cuando se importen. Desactive la opción **Seleccionar todo** pulsando en su casilla de verificación.

6. Importaremos sólo uno de los grupos. Haga clic en la casilla de verificación de uno de ellos y pulse el botón **Importar**.

7. Lógicamente, en función del número de fotos que se vayan a importar, el proceso será más o menos largo. Cuando éste acabe, un globo nos informará de ello y nos permitirá abrir la carpeta en la que han quedado almacenadas. Pulse en el vínculo **aquí** de dicho globo informativo.

8. ¡Correcto! Las fotos se muestran ya en la galería para que pueda editarlas, enviarlas por correo, crear una presentación o un CD o DVD, etc. El **Panel de navegación** de la izquierda le permite acceder al resto de carpetas de imágenes, así como filtrarlas por diferentes criterios. Pulse, por ejemplo, en la carpeta **Imágenes de muestra** de dicho panel.

9. Aparecen así las miniaturas de las imágenes contenidas en esta carpeta. Para verlas en grande, sólo tiene que hacer doble clic sobre ellas. Haga doble clic en cualquiera de las imágenes de muestra.

10. Para acabar este ejercicio, pulse el botón **Volver a la galería** y haga clic sobre la carpeta de imágenes que ha importado.

Al maximizar una imagen en la galería, podrá ver datos sobre ella en el **Panel de información**.

El vínculo **Más opciones** abre el cuadro **Opciones/Opciones de importación**, desde el que puede personalizar algunas opciones de importación como la carpeta en la que se guardarán las imágenes, el nombre con el que lo harán, etc.

Pulse el botón **Expandir todo** para mostrar en el cuadro de importación todas las imágenes contenidas en los grupos.

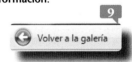

Corregir fotografías con la Galería fotográfica

UNA VEZ IMPORTADAS LAS FOTOGRAFÍAS de su cámara digital a la Galería fotográfica de Windows Live, puede utilizar el comando Corregir para mejorar la exposición, el detalle y el color de las fotografías, entre otras opciones.

1. Para empezar, haga clic sobre una de las imágenes de la carpeta que ha importado en el ejercicio anterior y pulse el botón **Corregir**.  (Puede usar si lo desea la imagen de ejemplo **057-001.jpg** que encontrará en la zona de descargas.)

2. El **Panel de edición**, a la derecha de la imagen, muestra todas las opciones de edición que ofrece la Galería fotográfica de Windows Live. Pulse el comando **Ajuste automático**.

3. Automáticamente, la Galería realiza los ajustes necesarios para mejorar la calidad de la imagen: la endereza y modifica su brillo, su contraste y su color. Si el resultado no es de su agrado, puede utilizar el comando **Deshacer** para recuperar el aspecto original de la imagen. Pulse el botón de flecha de ese comando y elija la opción **Deshacer ajuste automático**.

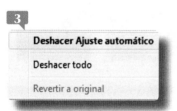

El comando **Deshacer** irá acumulando todas las acciones de edición que ejecute y le permitirá deshacerlas. Además, la opción **Revertir a original** le permitirá recuperar el aspecto original de la imagen.

4. Vamos a para realizar algunas modificaciones manualmente. Arrastre los reguladores de **Brillo**, **Contraste**, **Sombras** y **Resaltados** hasta que el aspecto de su fotografía mejore. (En la imagen de ejemplo, el regulador de sombras hará mejorar notablemente su calidad; arrástrelo hacia la derecha.)

5. Pulse el botón **Ajustar exposición** para contraer sus opciones.

6. Utilice los reguladores del control **Temperatura de color** para que la fotografía tenga un aspecto más cálido o más frío y los reguladores **Tinte** y **Saturación** para ajustar el tinte de color y la viveza de los colores respectivamente. (Si usa la imagen de ejemplo, cree un efecto de luz de atardecer arrastrando hacia la derecha el regulador **Temperatura de color**. 5)

7. Contraiga las opciones de ajuste de color pulsando en su título y después arrastre el regulador de la opción **Enderezar foto** hasta conseguir que la foto quede recta. 6

8. Oculte el control **Enderezar foto** y pulse el botón **Ajustar detalle**.

9. Este control le permite ajustar la nitidez y reducir el ruido de imagen, un defecto que hace que la imagen se vea granulada o poco nítida. Arrastre la imagen hasta situarla en un punto que le permita controlar fácilmente el enfoque y use el regulador **Enfocar** para mejorar el enfoque.

10. Pulse el botón **Analizar** y después utilice el regulador **Reducir ruido** para eliminar al máximo posible el ruido de la foto. 7

11. El control **Corregir ojos rojos** permite reducir este molesto efecto en las fotografías de personas y el control **Efectos en blanco y negro** contiene filtros para convertir una imagen a blanco y negro. Pulse en ese control y aplique el filtro **Tono sepia** pulsando en la última muestra de la primera fila. 8

12. Para quitar este filtro, pulse el botón **Deshacer** y, para acabar el ejercicio, vuelva a la Galería pulsando el botón **Volver a la galería**.

057

IMPORTANTE

Para ajustar el punto blanco y el punto negro de las fotografías, arrastre los controles del **histograma** de la sección Ajustar exposición.

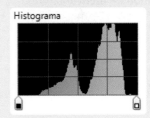

5

6

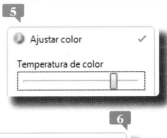

Al arrastrar el regulador Enderezar foto, una **cuadrícula** le servirá de ayuda visual.

4

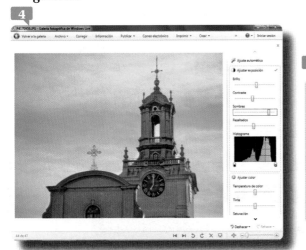

7

Ajustar detalle ✓

Enfocar

Reducir ruido

Analizar

8

Efectos en blanco y negro

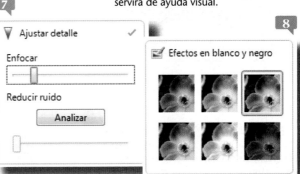

Obtener información de las fotografías

EL PANEL DE INFORMACIÓN de la Galería fotográfica de Windows Live nos ofrece un gran número de datos acerca de las fotografías, entre los que se cuentan la fecha de captura, el tamaño y las dimensiones de la imagen, etc. También puede obtener información sobre la imagen situando sobre ella durante unos segundos el puntero del ratón.

1. Antes de acceder al panel de información de la Galería fotográfica de Windows Live, sitúe el puntero del ratón sobre una de las miniaturas de la carpeta importada para que la imagen se muestre durante unos segundos en un tamaño algo mayor y con información acerca de la misma. 🔲

2. Haga clic sobre la imagen para seleccionarla y pulse en el comando **Información**. 🔲

3. Aparece a la derecha de las imágenes el panel de información, desde el que puede agregar etiquetas descriptivas y de personas a las fotografías y ver y editar información detallada acerca de las mismas. Para asignar una clasificación de 5 estrellas a su imagen, pulse sobre la quinta estrella del campo **Clasificación**. 🔲

4. Esta clasificación nos servirá para filtrar las fotos. A continuación, añadiremos también el nombre del autor de las fotos.

Como puede ver, esta **vista previa** muestra el nombre de la imagen, la fecha y la hora de su captura y su tamaño y dimensiones.

Pulse en el campo **Agregar un autor**, escriba su nombre y pulse la tecla **Retorno**.

5. Los otros campos editables del panel de información son el nombre del archivo y la fecha de captura. El resto son campos fijos que no se pueden modificar. Cierre el panel de información pulsando el botón de aspa de su cabecera.

6. Debe saber que el menú **Archivo** incluye las opciones que permiten cambiar el nombre y el tamaño de las imágenes. Otro modo de obtener información acerca de las fotografías consiste en activar la vista **Ver detalles**. Pulse en el icono **Ver detalles**, el situado a la izquierda del regulador de zoom en la parte inferior de la galería.

7. Ahora junto a cada imagen aparece el nombre, la fecha de captura, el tamaño, las dimensiones y la clasificación de las mismas. Veremos una última forma de conocer las propiedades de las fotografías. Haga clic con el botón derecho del ratón sobre la imagen seleccionada y, de su menú contextual, elija la opción **Propiedades**.

8. Se abre así el completísimo cuadro de propiedades de la imagen, en el que, además de las características antes mencionadas, puede ver otras muchas relativas a la cámara y opciones de fotografía avanzada. Pulse en la pestaña **Detalles** y use la **Barra de desplazamiento vertical** para ver los distintos apartados y la información disponibles.

9. Para acabar el ejercicio, cierre el cuadro de propiedades de la imagen pulsando el botón **Cancelar**.

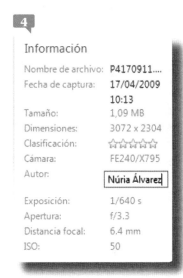

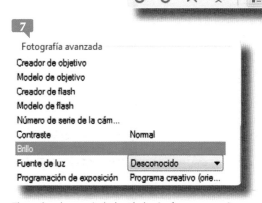

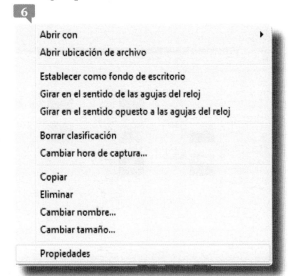

El cuadro de propiedades de las imágenes permite modificar algunas características de las mismas. Por ejemplo, en la ficha **General** puede elegir el programa con el que se abrirá por defecto la imagen.

Organizar las fotos en la Galería fotográfica

EL PANEL DE NAVEGACIÓN, situado a la izquierda de la interfaz de la Galería fotográfica de Windows Live permite mostrar las fotografías almacenadas en carpetas, o bien filtrarlas por fecha de captura o por etiquetas, Además, en el panel central, las imágenes puedes ordenarse ascendente o descendentemente siguiendo diferentes criterios.

1. Para empezar este ejercicio en el que aprenderá diversos modos de organizar las fotografías en la galería, pulse sobre una de las fechas de captura que aparecen en el **Panel de navegación**.

2. Ahora pulse sobre la carpeta **Imágenes de muestra** para ver los detalles de las imágenes contenidas en ella.

3. Vamos a utilizar las imágenes de esta carpeta para mostrarle las opciones de organización y filtrado. Como puede ver en la parte superior de la ventana de imágenes, éstas se organización por defecto automáticamente por orden ascendente. Pulse el botón **Organizar por automático** para ver las opciones que incluye.

4. Puede organizar las imágenes por nombre, por fecha, por clasificación, por tipo, por etiqueta y por persona. Pulse en la opción **Nombre**.

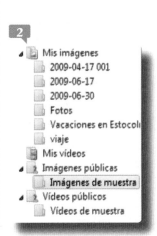

059

5. Observe que ahora las imágenes se ordenan alfabéticamente en orden ascendente según su nombre. Pulse el botón **Ascendente** para que se active la opción **Descendente** y cambiar así el orden.

6. Ahora organizaremos las imágenes de muestra según su clasificación por estrellas. Pulse el botón **Organizar por nombre** y elija esta vez la opción **Clasificación**.

7. De este modo las imágenes quedan agrupadas según el número de estrellas que tienen asignado. En la carpeta de imágenes de muestra de Windows 7 tenemos imágenes de 5, de 4 y de 3 estrellas. Imagine que desea filtrar esta vista de manera que sólo se muestren las imágenes clasificadas con 3 estrellas. Haga clic en la tercera estrella del campo **Filtrar por**.

8. Como se encuentra seleccionada la opción y superior, aparecen todas las imágenes con 3 y más estrellas. Pulse el botón de flecha **y superior** situado junto a este campo y elija la opción **sólo** para que únicamente aparezcan las imágenes con 3 estrellas.

9. Para eliminar el filtro y volver a ver todas las imágenes de la carpeta seleccionada, pulse el botón **Borrar filtro**.

10. Acabaremos este sencillo ejercicio recuperando la organización automática de las imágenes. Pulse el botón **Organizar por clasificación** y elija la opción **Automático**.

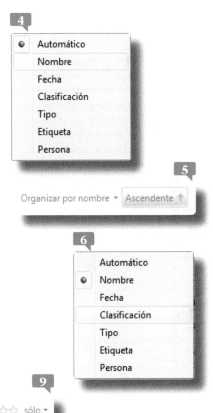

Al filtrar por clasificación puede escoger entre igual y superior, igual e inferior o sólo igual.

Etiquetar fotos en la Galería fotográfica

LAS ETIQUETAS SON DATOS DE TEXTO adjuntos a las fotografías que permiten añadir detalles acerca de las mismas para identificarlas y facilitar su búsqueda y ordenación. Las etiquetas pueden ser descriptivas y de personas.

1. Es posible agregar a las fotografías etiquetas descriptivas o de personas ya existentes o bien crear nuevas etiquetas. Seleccione en el **Panel de navegación** la carpeta que importó en el primer ejercicio dedicado a la Galería fotográfica de Windows Live.

2. Puede crear nuevas etiquetas descriptivas o de personas desde el apartado de etiquetas del **Panel de navegación** o desde el **Panel de información**. En este ejemplo, pulse sobre el botón **Información**. 🔲

3. Manteniendo la tecla **Control** presionada, pulse sobre las fotografías a las que desea agregar una misma etiqueta descriptiva (por ejemplo, el nombre de una ciudad, de una plaza, de un parque, etc.).

4. Una vez seleccionadas las fotos, pulse en el comando **Agregar etiquetas descriptivas**, 🔲 escriba el nombre de la etiqueta 🔲 y pulse la tecla **Retorno** para confirmar la entrada.

5. Sitúe el puntero del ratón sobre el término **Todos** de la etiqueta recién creada y compruebe que todas las fotos que tiene seleccionadas han sido etiquetadas.

También puede aplicar etiquetas a las fotos arrastrando las imágenes hasta la etiqueta.

6. Seleccione ahora otra imagen y cree una nueva etiqueta siguiendo los pasos anteriores.

7. Las etiquetas se van añadiendo al **Panel de navegación** y pueden funcionar también como filtro para localizar imágenes. Use si lo necesita la **Barra de desplazamiento** del **Panel de navegación** para situarse en el apartado **Etiquetas descriptivas** y compruebe que las dos etiquetas creadas ya están en la lista.

8. Pulse sobre una de ellas para que sólo se muestren las fotografías etiquetadas.

9. Puede eliminar etiquetas de una foto usando el botón **Quitar** situado a su derecha en el panel de información. Con una de las fotos etiquetadas seleccionada, sitúe el puntero del ratón sobre la etiqueta en ese panel y pulse el botón de aspa.

10. Confirme que desea quitar la etiqueta pulsando el botón **Sí** del cuadro de diálogo que aparece.

11. El proceso para agregar etiquetas de personas y asignarlas a las fotografías es muy similar al que acabamos de llevar a cabo. Active la opción **Sin etiqueta** en el **Panel de navegación** para mostrar todas las fotos sin etiquetar y localice y seleccione una en la que aparezca usted.

12. En el **Panel de navegación**, pulse en la opción **Ese soy yo** del apartado **Etiquetas de personas**.

13. Inicie sesión en Windows Live introduciendo su Windows Live ID y su contraseña y pulsando en **Iniciar sesión** para que el programa le reconozca y cree la etiqueta con su nombre.

14. De este modo puede ir definiendo etiquetas que le ayudarán después a localizar y filtrar sus fotografías. Compruebe que las etiquetas de personas también se añaden al **Panel de navegación** y acabe cerrando el **Panel de información**.

4

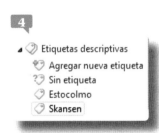

El menú contextual de las etiquetas descriptivas incluye una opción que permite convertirlas en **etiquetas de personas**.

7

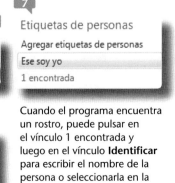

Cuando el programa encuentra un rostro, puede pulsar en el vínculo 1 encontrada y luego en el vínculo **Identificar** para escribir el nombre de la persona o seleccionarla en la lista de identificación.

6

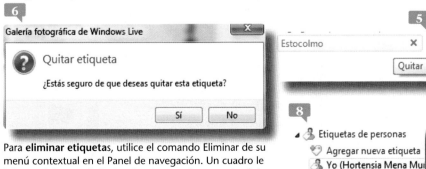

Para **eliminar etiquetas**, utilice el comando Eliminar de su menú contextual en el Panel de navegación. Un cuadro le informará de que al eliminar la etiqueta, ésta se quitará de todos los vídeos y fotos que la tengan asignada.

Publicar un álbum en línea

CON LA GALERÍA FOTOGRÁFICA de Windows Live puede publicar fotografías en álbumes en línea para compartirlas con otros usuarios de la Red. Debe tener en cuenta que cualquier usuario de Internet podrá verlas y descargarlas, por lo que conviene tomar algunas medidas de seguridad como evitar que las fotos muestren datos que puedan identificarle.

1. En este ejercicio veremos cómo publicar un álbum de fotografías en línea desde la Galería fotográfica de Windows Live. Para empezar, seleccione en el **Panel de navegación** la carpeta de imágenes que importó en un ejercicio anterior.

2. Vamos a publicar todas las fotografías que contiene esta carpeta. Para seleccionarlas, abra el menú **Archivo** y pulse en la opción **Seleccionar todo**.

3. Recuerde que puede seleccionar fotos salteadas pulsando sobre ellas mientras mantiene presionada la tecla **Control**. Una vez seleccionadas las fotos que desea publicar, abra el menú **Publicar** y elija la opción **Álbum en línea**.

4. Si no ha iniciado sesión en Windows Live, deberá introducir su Windows Live ID y su contraseña en el cuadro de inicio de sesión. Hágalo y pulse el botón **Iniciar sesión**.

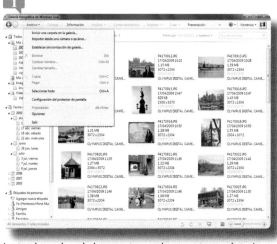

Junto al nombre de la carpeta puede ver entre paréntesis el **número de elementos que contiene** y el de elementos seleccionados.

5. En el cuadro **Publicar fotos en Windows Live** aparece ahora en modo de edición el álbum que ha seleccionado, para que pueda darle un nombre y establecer los permisos para que otros usuarios puedan verlo. En el campo de texto, escriba un título para su álbum.

6. Puede hacer que el álbum esté disponible para todos los usuarios, sólo para los miembros de su red de Windows Live o sólo para usted. Pulse el botón de flecha que muestra el permiso **Todos (público)** y elija la opción **Mi red**.

7. Antes de publicar definitivamente el álbum, cambiaremos el tamaño de la carga, establecido por defecto en 1600 píxeles. Pulse el botón de flecha del campo **Tamaño de carga** y elija la opción **Mediano (600 px)**.

8. Una vez definidas las propiedades del álbum, pulse el botón **Publicar**.

9. Un cuadro de diálogo le mostrará el proceso de la operación, que será más o menos largo en función del número de fotos que contenga el álbum. Puede detener este proceso en cualquier momento pulsando el botón **Cancelar**. Cuando éste acabe, pulse en el botón **Ver álbum** para ver las imágenes en su espacio de fotos de Windows Live.

10. ¡Correcto! Las fotografías se han cargado y ahora puede navegar por ellas o verlas como presentación siguiendo los pasos descritos en el ejercicio 6 de este manual. Para acabar, cierre el navegador pulsando el botón de aspa de su **Barra de título**.

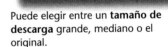

Puede elegir entre un **tamaño de descarga** grande, mediano o el original.

Compruebe que el **nombre** del álbum en línea es el que ha especificado en el cuadro de publicación de la Galería fotográfica.

Enviar fotos por e-mail desde la Galería

EL COMANDO CORREO ELECTRÓNICO de la Galería fotográfica de Windows Live permite adjuntar las fotografías seleccionadas a un mensaje de correo electrónico con un tamaño determinado para enviarlo con el gestor de correo electrónico Windows Live Mail.

1. Para empezar, seleccione la fotografía que desea enviar a uno de sus contactos y pulse el comando **Correo electrónico**.

2. En el cuadro **Adjuntar archivos** debemos elegir las dimensiones que tendrá la imagen que vamos a enviar. En función de esas dimensiones, variará el tamaño total estimado. Haga clic en el botón **Tamaño** y elija el primer tamaño **pequeño**, de **640x480 píxeles**.

3. Compruebe cómo se ha reducido el tamaño total estimado y pulse el botón **Adjuntar**.

4. Se abre la ventana de un nuevo mensaje sin título en Windows Live Mail. (Para ello, deberá haber establecido este gestor de correo electrónico como el predeterminado para sus envíos de mensajes). Pulse el botón **Para**.

El tamaño de las fotografías seleccionado por defecto en el cuadro Adjuntar archivo es el **Mediano**, de 1024x768 píxeles.

Es posible enviar hasta **500 imágenes** en mensajes de correo electrónico por mes natural y cargar hasta **500 MB** de imágenes en los servidores de Windows Live en cada mensaje.

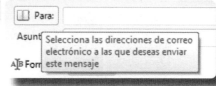

Observe que en el **cuerpo del mensaje** aparece ya la fotografía que ha seleccionado.

5. En la ventana de contactos, elija con un doble clic el remitente al que desea enviar la imagen y pulse el botón **Aceptar**.

6. Como ya sabe, el resto de campos de la ventana del mensaje son opcionales (**CC, CCO** y **Asunto**). Antes de enviar definitivamente el mensaje, indicaremos que éste es de importancia alta y solicitaremos confirmación de lectura. Pulse en el comando **Alta** para establecerlo como de alta prioridad.

7. A continuación, abra el menú **Herramientas** y pulse en la opción **Solicitar confirmación de lectura**.

8. Bajo la cabecera del mensaje dispone de diferentes herramientas que permiten agregar más fotos, modificar los efectos de los bordes, aplicar autocorrección o convertirlas a blanco y negro y elegir la resolución con que se enviarán. Junto a estas herramientas podemos ver el tiempo aproximado de descarga y el tamaño total de la carga. Pulse el botón **Autocorreción** para que se corrijan automáticamente la exposición y el color de la foto.

9. Si hace doble clic sobre la imagen adjunta al mensaje podrá sustituirla por otra. Una vez establecidas las condiciones del mensaje, pulse el botón **Enviar** para enviarlo.

10. Un cuadro de diálogo nos advierte de que el mensaje no tiene asunto. Para enviarlo sin este dato, pulse el botón **Aceptar**.

11. Si tiene activada la opción **Enviar mensajes inmediatamente** en la ficha **Enviar** del cuadro de opciones de Windows Live Mail, el mensaje se enviará automáticamente. En caso contrario, deberá acceder a la **Bandeja de salida** y proceder con el envío. Para acabar este ejercicio, cierre Windows Live Mail pulsando el botón de aspa de su **Barra de título**.

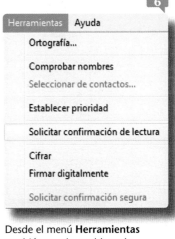

Desde el menú **Herramientas** también puede establecer la prioridad de los mensajes.

Imprimir fotos desde la Galería fotográfica

DESDE LA GALERÍA FOTOGRÁFICA de Windows Live también puede imprimir sus imágenes e incluso pedir copias fotográficas. El cuadro Imprimir imágenes le permite elegir el tamaño, el tipo y la calidad del papel y establecer un diseño de impresión.

1. Para empezar, seleccione dos de sus fotografías importadas. Haga clic sobre una y, manteniendo pulsada la tecla **Control**, pulse sobre la segunda.

2. Pulse el comando **Imprimir** y elija esa misma opción.

3. También puede acceder al cuadro **Imprimir imágenes** pulsando la combinación de teclas **Ctrl.+P**. En este cuadro puede ver la vista previa de impresión. En este caso, como hemos seleccionado dos imágenes y como está activado por defecto el diseño **Fotografía de página completa**, tenemos dos imágenes. Haga clic en el botón **Siguiente**, el que muestra una punta de flecha que señala hacia la derecha, para ver la segunda imagen.

4. Para que las dos fotografías quepan en una hoja, haga clic en el segundo de los diseños, **13x18 cm.**

5. Efectivamente, como podemos comprobar en la vista previa, ahora las dos fotografías caben en una página. Debe tener en cuenta que los diseños disponibles se ajustan al tamaño del

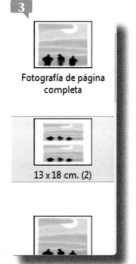

Fotografía de página completa

13 x 18 cm. (2)

papel seleccionado; así, si activa un tamaño de papel pequeño (como A5), sólo estará disponible el diseño de fotografía de página completa. Haga clic en la casilla de verificación **Enmarcar la imagen** para desactivarla.

063

6. Si deja esta opción activada, el programa aplicará un zoom a las imágenes para eliminar posibles espacios en blanco. Como tamaño de papel mantenga la opción **A4** seleccionada por defecto. Pulse el botón de flecha del campo **Calidad** y elija la opción **1200 ppp**.

7. En el campo **Tipo de papel** puede escoger entre diferentes tipos de papel, que dependerán de la impresora con la que esté trabajando (si, por ejemplo, su impresora admite papel perforado, podrá seleccionar esa opción en el campo **Tipo de papel**). Mantenga la opción **Selección automática** y pulse en el vínculo **Opciones**.

8. Desde el cuadro **Configuración de impresión** puede acceder a las propiedades de su impresora y al cuadro de administración de color. Además, la opción **Enfocar para imprimir** puede mejorar notablemente la calidad de la foto impresa y la opción **Mostrar sólo las opciones compatibles con mi impresora** impedirá que se muestren opciones de impresión no compatibles con su impresora. Pulse el botón **Aceptar**.

9. En el campo **Copias de cada imagen**, indique las copias de cada imagen que desea imprimir y, una vez configuradas todas las opciones de impresión, pulse el botón **Imprimir**. (Lógicamente, para obtener las copias impresas, deberá disponer de una impresora debidamente instalada y configurada en su equipo.)

IMPORTANTE

El comando Impresora del cuadro Imprimir imágenes permite seleccionar una impresora cuando hay varias instaladas e incluso **agregar** un nuevo dispositivo.

SnagIt 8
Microsoft XPS Document Writer
Fax
\\NEUTRON\Ricoh Aficio 2105 PCL6
Instalar impresora...

Calidad:

600 ppp
1200 ppp
600 ppp
300 ppp

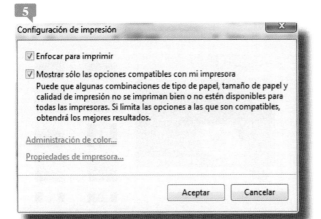

Configuración de impresión

☑ Enfocar para imprimir

☑ Mostrar sólo las opciones compatibles con mi impresora
Puede que algunas combinaciones de tipo de papel, tamaño de papel y calidad de impresión no se impriman bien o no estén disponibles para todas las impresoras. Si limita las opciones a las que son compatibles, obtendrá los mejores resultados.

Administración de color...
Propiedades de impresora...

Aceptar   Cancelar

Imprimir imágenes

Espere

Imprimiendo página 1 de 1...

Imprimir   Cancelar

Crear una película con la Galería fotográfica

COMO YA HEMOS VISTO AL TRABAJAR con la función de envío de correo electrónico, la Galería fotográfica de Windows Live puede interactuar con otras aplicaciones de Windows Live. En este ejercicio, veremos cómo se puede crear una película desde la Galería utilizando la aplicación Windows Live Movie Maker.

1. Empezamos este ejercicio mostrando el contenido de la carpeta importada en una lección anterior. Para seleccionar todas las imágenes, pulse la combinación de teclas **Ctrl.+A**.

2. Pulse el comando **Crear** y haga clic en la opción **Crear una película**.

3. Automáticamente se abre la aplicación Windows Live Movie Maker Beta, mostrando la vista previa de la primera de las imágenes seleccionadas y las miniaturas de las demás. Como más adelante en este libro dedicamos varias lecciones al uso de este completo programa de creación de películas, en ésta sólo obtendremos una vista previa de la película y le mostraremos cómo almacenar el proyecto para poder grabarlo o publicarlo más adelante. Observe que debajo de la vista previa de la primera imagen se muestra el tiempo de duración predeterminado de la presentación y un único control de reproducción. Pulse sobre el control **Iniciar reproducción**.

4. El botón se convierte en **Pausar reproducción** a la vez que se inicia la reproducción de la película. Cuando ésta acabe, pulse en el botón **Archivo**, el situado a la izquierda de la pestaña **Principal** y haga clic en la opción **Guardar**.

5. De manera predeterminada, los proyectos de Movie Maker se almacenan en la **Biblioteca de vídeos**, aunque usted puede escoger cualquier otra ubicación. Mantenga el nombre y la ubicación que aparecen por defecto en el cuadro **Guardar proyecto** y pulse el botón **Guardar**.

6. Utilizando la **Barra deslizante** situada en la esquina inferior derecha de la interfaz de Windows Live Movie Maker Beta puede aplicar zoom a las miniaturas del guión gráfico. Compruébelo arrastrando el regulador hacia la derecha o pulsando el signo +.

7. También puede cambiar el orden en que se muestran las fotografías en la película mediante la técnica de arrastre. Pulse sobre una de sus imágenes y, sin soltar el botón del ratón, arrástrela hasta situarla dos posiciones más arriba.

8. Para acabar este sencillo ejercicio, cierre Windows Live Movie Maker pulsando el botón de aspa de su **Barra de título**.

9. Como hemos realizado cambios y no los hemos almacenado, un cuadro de diálogo nos pregunta si queremos hacerlo antes de cerrar el programa. Pulse el botón **Sí** de este cuadro para dar por acabado el ejercicio.

064

Use el **regulador de zoom** para aumentar o reducir el tamaño de la miniaturas en Windows Live Movie Maker.

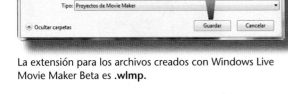

La extensión para los archivos creados con Windows Live Movie Maker Beta es **.wlmp**.

Crear una entrada de blog desde la Galería

OTRA DE LAS OPCIONES INCLUIDAS en el comando Crear de la Galería fotográfica de Windows Live es la que permite crear entradas de blog con Windows Live Writer.

1. Si desea añadir a su blog fotografías que tenga guardadas en su equipo para compartirlas con sus contactos, nada más sencillo que utilizar la opción **Crear una entrada de blog** de la Galería fotográfica de Windows Live. Con la carpeta que importó a la Galería abierta, haga clic sobre varias de sus fotos mientras mantiene pulsada la tecla **Control** para seleccionarlas.

2. A continuación, pulse en el comando **Crear** y elija la opción **Crear una entrada de blog**.

3. Al haber seleccionado varias imágenes, antes de que se abra Writer el cuadro **Insertar imágenes** nos pregunta cómo queremos que éstas aparezcan en el blog, pudiendo elegir entre mostrarlas como imágenes independientes o como álbum de fotos. Pulse sobre la primera opción, **Imágenes entre líneas**.

4. Automáticamente se abre la aplicación Windows Live Writer mostrando las imágenes seleccionadas en el cuerpo de la entrada de blog. Recuerde que en ejercicios anteriores configuramos nuestro blog para que mostrara este fondo específico. Una vez insertadas las imágenes en la entrada de blog, ya sabe que puede modificar su diseño, introducir texto, etc. Empezaremos escri-

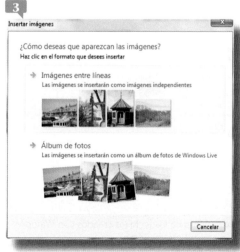

biendo un título para la entrada. Haga clic en el vínculo **Escribir un título de entrada** y escriba un título de ejemplo.

5. Seguidamente cambiaremos el formato en que se muestran las imágenes. Pulse sobre la primera de ellas para seleccionarla.

6. El panel de edición de la imagen nos permite cambiar su formato y añadirle efectos. A modo de ejemplo, pulse el botón de punta de flecha del campo **Bordes** y elija la opción **Papel fotográfico**.

7. Pulse en el vínculo **Guardar la configuración como predeterminada**.

8. De este modo, podemos aplicar esta configuración de imagen a todas las demás mediante el vínculo **Recuperar la configuración predeterminada**. Hágalo y compruebe cómo las imágenes adoptan el estilo de borde seleccionado para la primera.

9. Para acabar, añadiremos un efecto especial sobre la última foto. Active la ficha **Efectos**, la tercera del panel **Imagen**, pulse sobre el botón **Agregar efecto** y elija, por ejemplo, la opción **Tono sepia**.

10. Una vez creada la entrada de blog, pulse el botón **Publicar** para publicarla en su Espacio de Windows Live.

11. Pulse el botón **Sí** del cuadro **Aviso de categoría** para no especificar ninguna categoría para esta entrada y seguir publicándola.

12. Inicie sesión en Windows Live escribiendo su identificador y la correspondiente contraseña y pulsando **Aceptar**.

13. Cuando acabe la publicación, podrá ver el resultado en su blog. Cierre el navegador pulsando el botón de aspa de su **Barra de título** y haga lo mismo con Windows Live Writer.

5

Bordes

8

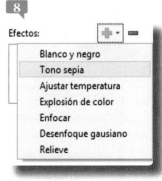

Para **quitar efectos**, selecciónelos y pulse el icono con un signo - de la ficha Efectos.

4

Vacaciones en Estocolmo

6

Recuperar la configuración predeterminada

Guardar la configuración como predeterminada

7

Recuperar la configuración predeterminada

Guardar la configuración como predeterminada

Crear fotos panorámicas con la Galería

SI DISPONE DE DOS O MÁS FOTOGRAFÍAS que podrían formar una sola, una foto panorámica, puede usar el comando Crear foto panorámica de la Galería fotográfica de Windows Live para obtenerla automáticamente.

1. Para llevar a cabo este ejercicio, puede utilizar los archivos de ejemplo **066-001.jpg** y **066-002.jpg** que encontrará en nuestra zona de descargas y que puede almacenar en su biblioteca de imágenes antes de empezar. (También puede usar sus propias fotografías, si lo prefiere). Para empezar, haga clic en la carpeta **Mis imágenes** en el **Panel de exploración** de la Galería fotográfica de Windows Live para que se muestren todas sus imágenes.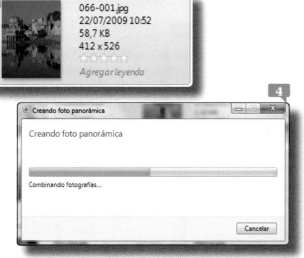

2. Utilice la **Barra de desplazamiento vertical** para localizar las dos imágenes que va a acoplar para crear su panorámica.

3. Sitúe el puntero del ratón sobre cada una de las imágenes y, cuando aparezcan su correspondientes casillas de verificación, pulse sobre ellas para seleccionarlas las dos.

4. Una vez seleccionadas las dos imágenes, haga clic en el comando **Crear** y elija la opción **Crear foto panorámica**.

5. Cuando el programa comprueba que las imágenes son compatibles y pueden acoplarse para crear una panorámica, se

abre el cuadro **Guardar composición panorámica**, en el que debemos indicar un nombre, un tipo y una ubicación para el archivo resultante. En el campo **Nombre** escriba la palabra **Panorámica**.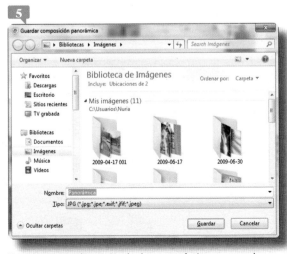

6. Pulse ahora en el botón de flecha del campo **Tipo** para ver los formatos en los que se puede guardar una panorámica y mantenga seleccionado el formato **JPG**.

7. Dejaremos también seleccionada la ubicación por defecto, la carpeta **Mis imágenes** de la **Biblioteca Imágenes**. Pulse el botón **Guardar**.

8. En pocos segundos el programa genera una perfecta panorámica, como puede ver en la imagen. Pulse el botón **Volver a la galería** y vea las propiedades de la imagen panorámica.

9. Para acabar este sencillo ejercicio comprobaremos que las panorámicas sólo pueden crearse, lógicamente, con imágenes que puedan superponerse y que pertenezcan a una misma escena. Haga clic en las casillas de verificación de dos de las imágenes que tenga guardadas en su equipo (que no puedan superponerse), pulse en el comando **Crear** y elija la opción **Crear foto panorámica**.

10. La Galería empieza a leer las fotografías pero encuentra un error, que se muestra en el cuadro **Error al crear la composición**. Este cuadro nos informa de que el programa no podrá generar la panorámica. Para acabar, pulse el botón **Cerrar**.

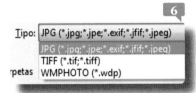

Las panorámicas creadas con la Galería fotográfica se pueden guardar en formato **JPEG**, **TIFF** o en el nuevo formato de Microsoft **WMPHOTO**.

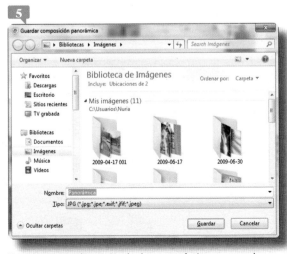

De manera predeterminada, las panorámicas se guardan en la **Biblioteca de Imágenes** del equipo, pero puede cambiar esa ubicación.

Crear un DVD desde la Galería fotográfica

OTRA DE LAS INTERESANTES FUNCIONES que ofrece la Galería fotográfica de Windows Live es la que permite crear fácil y rápidamente DVDs de fotografías, para reproducirlos en cualquier equipo o en un DVD de sobremesa y compartir así sus fotografías con sus amigos y familiares.

1. Seleccione en el **Panel de navegación** de la Galería fotográfica de Windows Live la carpeta que importó desde su cámara digital para ver las fotografías incluidas en ella.

2. Imagine que desea grabar en un DVD todas estas imágenes para reproducirlas después a modo de película en un DVD de sobremesa o en un ordenador. Pulse el comando **Archivo** y haga clic en la opción **Seleccionar todo**. ▦

3. Una vez seleccionadas todas las fotos, haga clic en el comando **Crear** y elija la opción **Grabar un DVD**. ▦

4. Se abre Windows DVD Maker, que inicia el proceso de creación del DVD agregando las imágenes seleccionadas. ▦ Desde la ventana **Agregar imágenes y vídeo al DVD** puede añadir nuevos elementos para grabar, quitarlos, modificar su orden, elegir la grabadora y añadir un título al DVD. Seleccione una de las fotos y pulse el botón **Quitar elementos**. ▦

Utilice los iconos de flecha para **cambiar el orden** de los elementos en la presentación.

También puede **seleccionar** todas las fotografías de una carpeta pulsando sobre el nombre de la misma en la ventana principal de la Galería.

Por defecto, el **título de un DVD** creado con la aplicación Windows DVD Maker es la fecha de creación de ese DVD.

5. Puede ver cuál será la duración del DVD en la esquina inferior izquierda de esta ventana. Pulse el botón **Siguiente**.

6. En la siguiente pantalla puede elegir entre uno de los estilos de menú o bien crear uno propio personalizado. Además, podrá obtener una vista previa de la presentación y añadirle música. (Le recomendamos que consulte nuestro libro **Aprender Windows 7 Multimedia y Nuevas tecnologías** si desea profundizar en el conocimiento de la utilidad Windows DVD Maker). En este ejemplo, aplicaremos a nuestra presentación uno de los estilos predeterminados. Pulse en la parte inferior de la **Barra de desplazamiento vertical** de la sección **Estilos de menú** y elija, por ejemplo, el estilo denominado **Video Wall**.

7. Pulse el botón **Presentación** y, en la ventana **Cambiar la configuración de la presentación**, haga clic en **Agregar música**.

8. En el cuadro **Agregar música a la presentación**, localice y abra la carpeta **Música de muestra** de su Biblioteca de música, seleccione uno de los temas de muestra de Windows 7 y pulse el botón **Agregar**.

9. Haga clic en el campo **Transición** y elija, por ejemplo, la opción **Disolver**.

10. Pulse el botón **Cambiar presentación**.

11. Una vez configurada la presentación, compruebe cuál será el resultado pulsando el botón **Vista previa**, salga de ella pulsando **Aceptar** y, tras introducir un DVD grabable en su grabadora de DVD, pulse el botón **Grabar**.

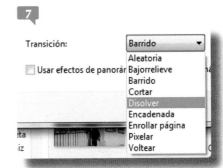

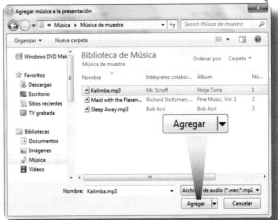

En función del número de fotografías de la presentación y de la duración del tema seleccionado, puede activar la opción **Cambiar la duración de la presentación de diapositivas para ajustarse a la duración de la música** o modificar manualmente la duración de las imágenes.

Grabar un CD de datos desde la Galería

LA GRABACIÓN DE UN CD DE DATOS desde la Galería fotográfica de Windows Live es un proceso que no reviste dificultad alguna. Simplemente debe insertar un disco grabable en la grabadora de su equipo y usar la función Crear un CD de datos del comando Crear.

1. Para empezar este ejercicio comprobaremos qué ocurre si intentamos grabar un CD de datos desde la Galería fotográfica sin haber introducido antes un CD grabable en la unidad adecuada del equipo. Con la carpeta de imágenes que ha importado en un ejercicio anterior abierta en la Galería, seleccione varias de ellas con ayuda de la tecla **Control**. 🔲

2. Haga clic en el comando **Crear** y pulse en la opción **Grabar un CD de datos**. 🔲

3. Como el programa no localiza un disco grabable, se muestra el cuadro **Grabar en disco** a la vez que se abre la unidad grabable de su equipo para que lo introduzca. Hágalo y pulse el botón **Cancelar** de este cuadro. 🔲

4. Pulse nuevamente en el comando **Crear** y elija la opción **Grabar un CD de datos**.

5. El cuadro **Grabar un disco** nos permite escoger entre dos maneras de usar el disco y nos pide un título para el mismo. Escríbalo en el campo **Título del disco**.

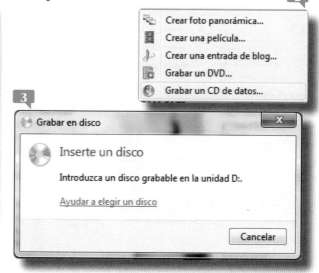

Recuerde que puede seleccionar varias imágenes consecutivas si mantiene presionada la tecla **Mayúsculas**.

6. Como ve, puede usar el disco como una unidad flash USB, de manera que los archivo se podrán guardar, editar y eliminar en cualquier momento o bien con un reproductor de CD o DVD, en cuyo caso los archivos grabados no se podrán editar ni eliminar. En este ejemplo, mantenga seleccionada la opción **Como una unidad flash USB** y pulse el botón **Siguiente**.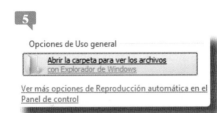

7. El sistema se prepara para la grabación formateando el CD y, en pocos segundos (en función de la cantidad de archivos que vaya a grabar) el proceso se lleva a cabo. Pulse en la opción **Abrir la carpeta para ver los archivos** del cuadro **Reproducción automática**.

8. Ahora sólo tiene que arrastrar los archivos que desea almacenar en el disco. Pulse en el icono **Restaurar a tamaño** de la **Barra de título** de la ventana del CD y de la galería para tenerlas las dos visibles.

9. En la Galería fotográfica de Windows Live, pulse sobre el primero de los archivos que seleccionó al inicio de este ejercicio y, sin soltar el botón del ratón, arrastre éste y los demás seleccionados hasta la ventana del CD.

10. De este modo, los archivos quedan guardados en el CD, que actúa como unidad USB extraíble. Para comprobar que se pueden eliminar, seleccione uno y pulse la tecla **Suprimir**.

11. Confirme la eliminación permanente del archivo seleccionado pulsando el botón **Sí** del cuadro **Eliminar archivo** y vea cómo el archivo desaparece.

12. Para acabar, cierre las dos ventanas abiertas usando los botones de aspa de sus **Barras de título**.

5

Opciones de Uso general

Abrir la carpeta para ver los archivos
con Explorador de Windows

Ver más opciones de Reproducción automática en el Panel de control

Por defecto, la Galería fotográfica de Windows Live aplica la **fecha actual** como título para el disco de datos que se va a grabar.

Si duda entre cuál de los sistemas de grabación elegir, acuda a la ayuda de Windows para obtener información pulsando en el vínculo **¿Cuál debo elegir?**

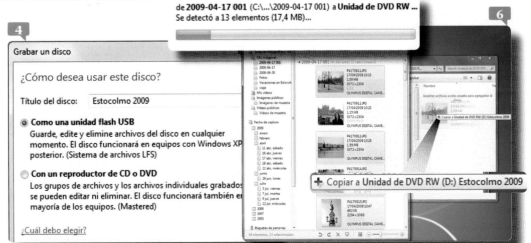

Agregar y quitar imágenes en Movie Maker Beta

MOVIE MAKER BETA DE WINDOWS LIVE sustituye a esa aplicación de versiones anteriores de Windows y permite crear fácil y rápidamente películas a partir de fotografías y clips de vídeo para compartirlas con amigos y familiares.

1. Para empezar, accederemos a la aplicación **Windows Live Movie Maker Beta**. Pulse el botón **Iniciar**, haga clic en el comando **Todos los programas**, localice y abra la carpeta de **Windows Live** y pulse sobre el programa en cuestión.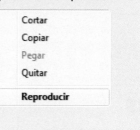

2. El primer paso lógico para crear una película con Windows Live Movie Maker Beta consiste en agregar los vídeos y las fotos que conformarán esa película. Puede hacerlo usando el botón **Agregar** de la ficha **Principal** de la aplicación o bien arrastrándolos desde su ubicación de origen hasta el panel de la derecha. Practicaremos con ambos métodos. Haga clic en el botón **Agregar**.

3. Se abre de este modo el cuadro **Agregar vídeos y fotos**, mostrando por defecto el contenido de la **Biblioteca de Vídeos**. En este ejemplo, crearemos una película con las imágenes incluidas en la carpeta que importó desde su cámara en un ejercicio anterior. En el Panel de navegación de este cuadro, pulse sobre la biblioteca **Imágenes** y después abra con un doble clic la carpeta en cuestión.

4. Para seleccionar todas las fotos de esta carpeta, pulse en el comando **Organizar** y haga clic en **Seleccionar todo**.

5. Para agregar todas las imágenes seleccionadas a Movie Maker Beta, pulse el botón **Abrir**.

6. Como ya vimos en un ejercicio anterior, puede obtener una vista previa de la película usando el control de reproducción situado bajo la imagen principal. Además, puede navegar por las imágenes seleccionando sus miniaturas en el panel de la derecha. A continuación, veremos cómo añadir una imagen mediante la técnica del arrastre. Pulse sobre el nuevo icono **Explorador de Windows** de la **Barra de tareas**.

7. En el explorador, haga doble clic sobre la biblioteca **Imágenes** para acceder a su contenido.

8. Con ayuda de la **Barra de desplazamiento vertical**, localice la carpeta **Imágenes de muestra** y ábrala con un doble clic.

9. Para poder ver la ventana de Windows Live Movie Maker Beta, debemos reducir las dimensiones de la del explorador. Sitúe el puntero del ratón en la esquina inferior derecha de la misma y arrastre hasta que ver el espacio de miniaturas de Movie Maker.

10. Ahora arrastre una de las imágenes de muestra desde el explorador hasta ese espacio y cierre la ventana del explorador.

11. La nueva imagen se ha añadido a la película. Para eliminarla, manténgala seleccionada y pulse el botón **Quitar**.

12. Como en el siguiente ejercicio continuaremos trabajando con esta película, acabaremos éste guardándola. Pulse el icono **Guardar**, que muestra un disquete, mantenga el nombre y la ubicación predeterminados para la película y acabe pulsando el botón **Guardar** del cuadro **Guardar proyecto**.

▲ Imágenes públicas (1)
C:\Usuarios\Acceso público

Imágenes de muestra

También puede quitar los vídeos y fotos seleccionados en un proyecto de Windows Live Movie Maker Beta pulsando simplemente la tecla **Suprimir**.

Añadir sonido a la película de Movie Maker

PARA QUE UNA PELÍCULA CREADA con Windows Live Movie Maker Beta sea más llamativa, amena y profesional, puede aplicarle como banda sonora cualquier archivo de audio que tenga almacenado en su equipo.

1. En este ejercicio agregaremos un archivo de audio a nuestro proyecto **Mi película** de Windows Live Movie Maker Beta. Puede usar si lo desea el archivo de ejemplo **070.mp3** que encontrará en la zona de descargas y que puede almacenar en su biblioteca de música o puede utilizar cualquier otro archivo de sonido que tenga guardado en su equipo. Empezamos en la ficha **Principal** de la aplicación. Pulse en el comando **Agregar** del grupo de herramientas **Banda sonora**. [1]

2. Se abre el cuadro **Agregar música** mostrando por defecto el contenido de la **Biblioteca de Música**. Localice el archivo de ejemplo **070.mp3** o el que vaya a aplicar como banda sonora y pulse el botón **Abrir**. [2]

3. Puede hacer que la duración del archivo de audio [3] coincida con la de su película pulsando el botón **Ajustar** del grupo de herramientas **Banda sonora**. [4] Hágalo y vea cómo automáticamente la película pasa a durar el mismo tiempo que el archivo de audio. [5]

Bajo el control de reproducción puede ver la **duración del archivo de música** escogido.

4. El comando **Mezclar**, por su parte, permite establecer que el volumen del sonido de un vídeo y el de la banda sonora sean iguales o diferentes. (Lógicamente, para comprobar realmente la utilidad de esta herramienta, debería contar con un archivo de vídeo con sonido en su película.) Pulse el botón **Mezclar**.

5. Compruebe que el regulador  se encuentra en el centro, entre el icono de vídeo y el de banda sonora, lo que indica que el volumen de reproducción será el mismo en ambos elementos. Si quisiera que el volumen de la banda sonora fuera superior al del vídeo, deberá arrastrar el regulador hacia la derecha; y en caso contrario, deberá arrastrarlo hacia la izquierda. En este caso, como no hemos añadido ningún archivo de vídeo a nuestro proyecto, oculte el regulador **Mezclar** pulsando la tecla **Escape**.

6. Para eliminar una banda sonora, sólo tiene que pulsar el comando Quitar de ese grupo de herramientas. Tenga en cuenta que el sonido se quitará automáticamente, sin cuadro de diálogo previo. Acabaremos este sencillo ejercicio comprobando que el archivo de audio se reproduce correctamente y almacenando los cambios realizados en el proyecto. Pulse el icono **Iniciar reproducción**.

7. Evidentemente, para poder realizar la comprobación, deberá disponer de unos altavoces o unos auriculares debidamente conectados al equipo. Cuando pasen unos segundos, pulse el control **Pausar reproducción**.

8. Por último, pulse en el botón **Archivo**, situado a la izquierda de las pestañas y elija la opción **Guardar**.

Para conseguir que **la duración del audio de la banda sonora y de las imágenes de la película coincidan**, Windows Live Movie Maker Beta hace que el intervalo entre fotografías aumente o se reduzca, según convenga en cada caso en función de las imágenes y de la duración del audio

Utilice el comando **Guardar como** de este menú para almacenar el proyecto con otro nombre o en otra ubicación.

070

153

Cambiar transiciones y efectos en Movie Maker

UNA VEZ AGREGADOS LOS VÍDEOS y las fotografías y configurada la banda sonora de la película, llega el momento de editar los efectos visuales, esto es, las transiciones entre los elementos y los efectos que se pueden aplicar al vídeo o imagen seleccionado.

1. En este ejercicio le mostraremos las transiciones y efectos visuales que pueden aplicarse a las fotografías y vídeos desde Windows Live Movie Maker. Para empezar, con el proyecto **Mi película** abierto en la aplicación, pulse sobre la pestaña **Efectos visuales**.

2. Por defecto, los elementos de una película no tienen aplicada ninguna transición ni ningún efecto. Es posible aplicar transiciones diferentes entre las fotos o bien la misma transición para todas ellas. La transición se aplicará entre el elemento anterior y el seleccionado. Para agregar una entre las dos primeras fotos, haga clic sobre la segunda para seleccionarla.

3. Para mostrar todas las transiciones disponibles en Windows Live Movie Maker Beta, haga clic en el botón **Más** del apartado **Transiciones**, que muestra una punta de flecha bajo una pequeña línea horizontal.

4. En la versión de la aplicación con la que trabajamos en este libro sólo están disponibles tres transiciones. Elija, por ejemplo, la última de ellas, **Rotar**.

5. De este modo, entre la primera y la segunda foto de la película se reproducirá la transición escogida. Vamos a comprobarlo. Pulse el botón **Iniciar reproducción** y, tras confirmar que la primera transición es rotar 🔲 y entre las demás imágenes no hay ninguna aplicada, pulse el botón **Pausar reproducción**.

6. Ahora, para aplicar la misma transición entre todas las fotografías restantes, haga clic sobre la tercera en el panel de miniaturas, utilice la **Barra de desplazamiento vertical** para situarse al final de la lista y, manteniendo pulsada la tecla **Mayúsculas**, haga clic sobre la última.

7. Pulse en la transición **Deslizar**, la tercera que aparece en el apartado **Transiciones**, para aplicarla entre todas las imágenes seleccionadas. 🔲

8. Compruebe que la transición se aplica correctamente reproduciendo nuevamente la película 🔲 y después pulse el botón **Pausar reproducción**.

9. Para acabar, aplicaremos uno de los efectos disponibles sobre una de nuestras fotografías. Haga clic sobre su miniatura para seleccionarla.

10. Los efectos disponibles son filtros en blanco y negro con diferentes valores. Elija, por ejemplo, el último efecto, **Blanco y negro (tono aguamarina)** y vea cómo cambia el aspecto de la foto. 🔲

11. Por último, guarde los cambios realizados en la película pulsando el icono **Guardar** de la **Barra de título**. 🔲

Para **quitar** todas las transiciones, seleccione todas las imágenes y elija la primera opción del grupo Transiciones.

Editar una película con Movie Maker Beta

LA FICHA EDITAR DE LA APLICACIÓN Windows Live Movie Maker Beta incluye las opciones necesarias para agregar texto con formato personalizado a las fotos o vídeos seleccionados, recortar o silenciar el audio de los vídeos y establecer el tiempo que tardan en mostrarse las fotos.

1. Con el archivo **Mi película** abierto en Windows Live Movie Maker, pulse sobre la pestaña **Editar**.

2. Arrastre la **Barra de desplazamiento vertical** del panel de miniaturas hasta visualizar la primera y haga clic sobre ella para seleccionarla y mostrarla en la vista previa.

3. Pulse en el comando **Cuadro de texto**.

4. Aparece automáticamente un cuadro de texto en la imagen seleccionada. Ahora sólo tiene que escribir el texto que desee y modificar sus propiedades desde el apartado **Fuente**. Escriba, por ejemplo, la palabra **Prueba**.

5. Sepa que puede ajustar las dimensiones del cuadro de texto arrastrando sus tiradores. Haga doble clic sobre la palabra para seleccionarla.

6. Pulse el botón de flecha del campo **Nombre de fuente**, el primero del apartado **Fuente**, y elija una de las fuentes que tenga instaladas en su equipo.

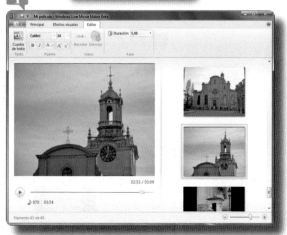

7. Para cambiar el tamaño de la fuente, puede utilizar el campo **Tamaño de fuente** o bien los botones **Agrandar fuente** y **Encoger fuente**, que modificarán de dos en dos puntos el tamaño actual de la fuente. Haga clic dos veces en el botón **Agrandar fuente**, el que muestra una **A** con una punta de flecha que señala hacia arriba en el apartado **Fuente**.

8. El cuadro de texto se ajusta automáticamente al nuevo tamaño. Ahora cambiaremos el color de la fuente. Pulse el botón de flecha del campo **Color de fuente**, el que muestra una A subrayada y, en la paleta de colores que aparece, haga clic en la opción **Más colores**.

9. Se abre el cuadro **Color**, que muestra una paleta más amplia de colores y permite definir colores personalizados. Elija una de las muestras del apartado **Colores básicos** y pulse el botón **Aceptar**.

10. Para acabar con la edición del texto, aplíquele el estilo **Negrita** pulsando en el icono que muestra una letra B.

11. Deseleccione el cuadro de texto pulsando en cualquier punto de la imagen para comprobar el resultado.

12. Los dos comandos del grupo de herramientas **Vídeo** permiten recortar y silenciar el audio de los vídeos agregados a la película. Como en este ejemplo no hemos insertado ningún vídeo, estos comandos están inactivos. Por último, el campo **Duración** del grupo **Foto** permite especificar el tiempo que transcurrirá entre una foto y otra. En este caso, como en un ejercicio anterior ajustamos el tiempo de duración de la banda sonora al de la película, este campo se modificó automáticamente. Acabe este ejercicio pulsando el icono **Guardar** de la **Barra de título** de la aplicación para almacenar los cambios.

El botón que muestra una I se utiliza para aplicar el estilo **Cursiva** al texto seleccionado.

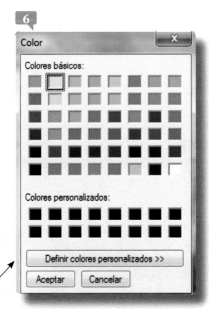

El botón **Definir colores personalizados** amplía el cuadro Color para que pueda definir nuevos colores indicando los valores de matiz, saturación y luminosidad o los de rojo, verde y azul.

Publicar la película de Movie Maker en Internet

TRAS EDITAR LA PELÍCULA en Windows Live Movie Maker Beta, llega el momento de publicarla en Internet para compartirla online con otros usuarios. El comando Publicar de la ficha Principal del programa incluye una opción que permite publicar la película en el servicio de vídeos de Microsoft y otra que permite agregar un complemento para poder publicar en otros sitios de la Web.

1. En el momento de redactar este libro, el servicio **Soapbox en MSN Video** de Microsoft todavía se encuentra en activo, aunque se ha anunciado su cierre para el 31 de agosto de 2009. El servicio **MSN Video**, sin embargo, seguirá disponible, por lo que lo más probable es que la versión definitiva de Windows Live Movie Maker permita publicar las películas en esa ubicación. Teniendo en cuenta estos inconvenientes, le mostraremos cómo agregar un complemento a Windows Live Movie Maker para poder publicar en la conocida plataforma **Facebook**. Con la película que acaba de editar abierta en la aplicación, pulse en la pestaña **Principal**, haga clic en el botón de flecha del comando **Publicar** y, de las dos opciones que incluye este comando, elija **Agregar un complemento**.

2. Se abre el navegador que tenga configurado como predeterminado mostrando una página con diferentes plug-ins para la publicación de vídeos con Windows Live Movie Maker. Haga clic en el vínculo **LiveUpload to YouTube**.

3. En la nueva ventana, donde se describen las características del complemento, pulse en el botón **Download now**.

4. Acepte las condiciones de la licencia pulsando el botón **I Agree**.

5. En el cuadro **Advertencia de seguridad de Descarga de archivos**, pulse en el botón **Ejecutar**.

6. Si aparece otro cuadro de advertencia de seguridad en el que se nos informa de que el editor del software es desconocido, pulse en el botón **Ejecutar** para continuar con la instalación.

7. En la primera ventana del asistente para la instalación del complemento, pulse el botón **Next** y después active la opción **I accept the terms in the License Agreement** y pulse el botón **Next**.

8. Mantenga la ubicación seleccionada por defecto para la aplicación y pulse **Next**; después, haga clic en **Install**.

9. Una vez completada la instalación, salga del asistente pulsando el botón **Finish** y cierre las ventanas del navegador abiertas pulsando en sus botones de aspa.

10. Para que el complemento se agregue a Windows Live Movie Maker Beta, debe reiniciar la aplicación. Ciérrela y vuelva a abrirla desde el menú **Inicio** y abra la película que ha editado en estos ejercicios.

11. Haga clic en el botón de flecha del comando **Publicar** y pulse en la opción **LiveUpload to YouTube**.

Lógicamente, para poder publicar vídeos en YouTube debe disponer de una cuenta y su contraseña, que deberá introducir en esta ventana. Después, deberá seguir los pasos para publicar definitivamente su película en YouTube y compartirla así con otros muchos usuarios.

Crear la cuenta principal de Protección infantil

PROTECCIÓN INFANTIL DE WINDOWS LIVE ofrece mayor seguridad y la posibilidad de crear reglas para evitar que los más pequeños de la casa entren en sitios Web no adecuados para ellos. La exploración será más segura gracias a los filtros de información que se pueden crear en función de la edad del niño y de los límites en las búsquedas y los bloqueos de determinados sitios Web. Además, en todo momento podrá saber qué sitios visitan sus hijos gracias a los informes de actividades que ofrece esta aplicación.

1. Protección infantil le permite controlar los sitios Web que visitan sus hijos y las personas con las que contactan (en Messenger, en chats, por correo electrónico, etc.) cuando está conectados. Los filtros de seguridad que cree sólo tendrán efecto en los equipos que tengan Windows Live Protección infantil debidamente instalado. Pulse el botón **Iniciar**, haga clic en **Todos los programas**, abra la carpeta **Windows Live** y active **Windows Live Protección infantil**.

2. El primer paso para activar la protección infantil consiste en iniciar sesión con el identificador de Windows Live de uno de los padres. Escriba su dirección y su contraseña y pulse el botón **Iniciar sesión**.

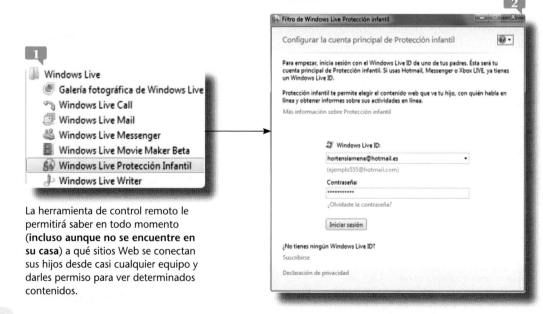

La herramienta de control remoto le permitirá saber en todo momento (**incluso aunque no se encuentre en su casa**) a qué sitios Web se conectan sus hijos desde casi cualquier equipo y darles permiso para ver determinados contenidos.

3. El cuadro **Filtro de Windows Live Protección infantil** nos indica que el filtro se ha activado para el usuario indicado. Para personalizar la configuración de la protección, pulse en el vínculo **Ir al sitio web de Protección infantil**  y vuelva a introducir sus datos de inicio de sesión.

4. Aparece así la página **Protección infantil** de su espacio de Windows Live, mostrando las características predeterminadas de su cuenta, que al no existir ninguna otra se considera la cuenta principal. Como hemos dicho antes, el filtrado Web sólo funciona en los que equipos que tengan instalado el filtro de Protección infantil. Si no lo instaló en su momento al descargar el resto de aplicaciones de Windows Live, pulse en el vínculo **Instalar el filtro de Protección infantil en este equipo** y siga las instrucciones del asistente.

5. Junto al nombre de la cuenta principal puede ver sus características predeterminadas para la función de protección infantil. Como ve, por defecto se encuentra activado el filtrado Web básico, el informe de actividades está desactivado y no existen administración de contactos ni peticiones de acceso a páginas pendientes de revisar. En los siguientes ejercicios veremos cómo agregar cuentas a la protección infantil y cómo modificar su configuración. Cierre el navegador pulsando el botón de aspa de su **Barra de título**.

6. Acabe el ejercicio pulsando en el vínculo **Cerrar sesión** del cuadro **Filtro de Windows Live Protección infantil** y lea el contenido del cuadro informativo que aparece en la esquina inferior derecha del Escritorio.

Mientras trabaje con el filtro de protección infantil activado, no podrá explorar Internet si no haya **iniciado sesión** en esta aplicación.

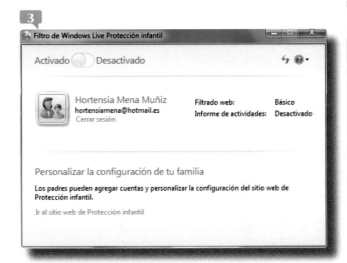

Agregar y quitar cuentas a la Protección infantil

PARA SACAR EL MÁXIMO PARTIDO a la aplicación de seguridad Protección Infantil de Windows Live, deberá agregar las cuentas de sus hijos para poder controlar así las páginas que visitan, las personas con las que contactan, etc.

1. Empezamos este ejercicio en la página de inicio de sesión del filtro Protección infantil. Escriba su **Windows Live ID** y su contraseña y, para que el sistema no vuelva a pedirle estos datos, active las opciones **Recordar mi contraseña** e **Iniciar sesión automáticamente** antes de pulsar el botón **Iniciar sesión**.

2. Como indica el cuadro de activación de la protección infantil, los padres pueden agregar cuentas y configurar el filtro según sus preferencias. Pulse en el vínculo **Ir al sitio Web de Protección infantil**.

3. Inicie nuevamente sesión en Windows Live introduciendo su Windows Live ID y su contraseña y activando las opciones **Recordar mis datos en este equipo** y **Recordar mi contraseña** antes de pulsar el botón **Iniciar sesión**.

4. Para agregar una cuenta infantil al servicio de protección, haga clic en el vínculo **Agregar hijo**.

5. El cuadro que se abre le permite iniciar sesión con el identificador del niño o bien crearle uno. Supondremos que el niño

tiene una cuenta de Windows Live. Pulse el botón **Iniciar sesión con el Id. de este niño**  y, en la siguiente página, introduzca la dirección y la contraseña de la cuenta del niño y pulse el botón **Iniciar sesión**.

6. Se abre el apartado de filtrado Web de la protección infantil, donde se muestra la configuración predeterminada para la nueva cuenta. En el siguiente ejercicio veremos cómo cambiar esta configuración. Ahora agregaremos otra cuenta y veremos cómo quitarla del filtro de protección infantil. Vuelva a la página principal pulsando en el vínculo **Protección infantil**.

7. Observe la nueva estructura de la página: se muestran dos apartados, uno correspondiente a las cuentas infantiles, en la que aparece ya la cuenta que acabamos de agregar, y otro correspondiente a las cuentas parentales, donde se ubica la cuenta principal. Haga clic de nuevo en el vínculo **Agregar hijo**.

8. Supondremos otra vez que el niño que deseamos agregar al control parental dispone de una cuenta de Windows Live. Pulse en el botón **Iniciar sesión con el Id. de este niño**, escriba los datos de la cuenta y pulse el botón **Iniciar sesión**.

9. Ya tenemos dos hijos y un padre en la configuración de la protección infantil. Pulse en el vínculo **Protección infantil** para volver a la página principal.

10. Ahora que tenemos dos cuentas infantiles, vamos eliminar una de ellas. Pulse en el vínculo **Quitar cuenta**.

11. En la página **Quitar cuentas**, haga clic en la casilla de verificación de la segunda cuenta que ha añadido y pulse el botón **Quitar las cuentas seleccionadas**.

12. Confirme que desea quitar esta cuenta del filtrado Web pulsando el botón **Sí** del cuadro de diálogo que aparece para dar por acabado el ejercicio.

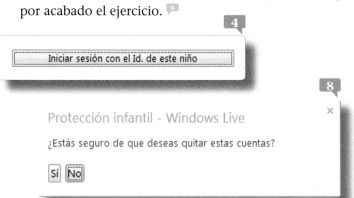

En Protección infantil de Windows Live puede agregar, quitar y configurar **cuentas infantiles y cuentas parentales**.

Cambiar la configuración del filtrado Web

UNA VEZ AGREGADAS LAS CUENTAS PARENTALES y las cuentas infantiles al filtro Protección infantil, llega el momento de revisar y cambiar la configuración del filtrado Web. Para ello, basta con pulsar sobre la imagen de la cuenta o sobre el tipo de filtrado activado por defecto y elegir la nueva configuración.

1. Empezamos este ejercicio en la página principal de Protección infantil, con nuestra sesión iniciada. Recuerde que en ejercicios anteriores agregamos nuestra cuenta como cuenta principal y otra cuenta como cuenta infantil. Vamos a modificar el filtrado Web de ambas cuentas. Por defecto, al crear una cuenta principal, Windows Live le asigna el filtrado Web básico. Veamos en qué consiste. Pulse sobre el vínculo **Básico** de la cuenta principal.

2. Como puede ver, el filtrado **Básico** bloquea únicamente el contenido para adultos. Haga clic en el botón de opción **Personalizar**.

3. La selección actual coincide con la configuración básica, de manera que sólo los sitios Web con contenido para adultos (esto es, los que muestran material sexual gráfico o explícito) y los sitios de anonimato (esto es, los usados por personas que no desean dejar información sobre su identidad en Internet),

están bloqueados. Active la opción **Sitios de anonimato** pulsando en su casilla de verificación  y aplique los cambios pulsando el botón **Guardar**.

4. Una vez cambiada la configuración de filtrado Web para la cuenta principal, pulse en el vínculo **Protección infantil** y haga clic sobre la imagen de la cuenta infantil para acceder a la ventana de configuración de su filtrado Web.

5. Las cuentas infantiles tiene activado por defecto el filtrado Web **Estricto**, que impide que los niños puedan acceder a sitios Web no aptos para ellos o a sitios Web para los que no tienen permiso. Mantendremos esta configuración, pero además, añadiremos una dirección Web permitida o otra bloqueada para esta cuenta. Haga clic en el campo **Escribir dirección Web** del apartado **Permitir o bloquear un sitio Web** y escriba la dirección **www.disney.es**.

6. Haga clic en el botón de flecha del campo siguiente, elija la opción **Permitir todas las cuentas** y pulse el botón **Agregar**.

7. La dirección aparece ya en la lista de sitios admitidos. Añadiremos ahora una dirección bloqueada. Haga clic de nuevo en el campo **Escribir dirección Web** y escriba **www.armas.es**.

8. Pulse el botón de flecha del siguiente campo, elija la opción **Bloquear todas las cuentas** y pulse el botón **Agregar**.

9. Vea cómo la página en cuestión se agrega a la lista **Sitios no admitidos**. Para acabar este ejercicio, guarde la nueva configuración para la cuenta infantil pulsando el botón **Guardar** y pulse en el vínculo **Protección infantil**.

5

Cuentas infantiles

Marcos Sala Mora
marcossm6@hotmail.com

Puede ver una lista de sitios Web con contenido apto para niños pulsando en el vínculo **sitios aptos para niños**. (Si la lista no está disponible para España, puede ver páginas permitidas en otros países.)

Para quitar elementos de las listas de sitios admitidos y no admitidos sólo tiene que activar la casilla **Quitar** y guardar los cambios.

3
☑ Sitios que no hemos podido clasificar ni evaluar
☑ Sitios de anonimato

4
Guarda los cambios. | Guardar | Cancelar

6
Permitir para esta cuenta
Permitir todas las cuentas
Bloquear sólo para esta cuenta
Bloquear todas las cuentas

8
Guardar | Cancelar

7

Permitir o bloquear un sitio web
Usar una lista de otra cuenta | Usar esta lista para otras cuentas

http:// www.armas.es   Bloquear todas las cuentas ▼ | Agregar

Sitios admitidos (1)   Quitar   Sitios no admitidos (0)   Quita

.disney.es/   ☐

Configurar el informe de actividades

UN INFORME DE ACTIVIDADES en Windows Live Protección infantil es un Resumen de las actividades de la cuenta infantil en Internet e incluye información sobre las personas con las que ha contactado mediante correo electrónico o mensajería instantánea y sobre los sitios Web que ha visitado o a los que ha intentado acceder.

1. Como puede comprobar en la página de resumen familiar de sus cuentas de protección infantil, el programa activa por defecto el informe de actividades para las cuentas infantiles y lo mantiene desactivado para las cuentas parentales. En este ejercicio veremos cómo modificar la configuración de este informe. Haga clic sobre el vínculo **Activado** correspondiente al informe de actividades de la cuenta infantil que ha agregado en ejercicios anteriores.

2. De este modo accedemos a la página de configuración del informe de actividades de esta cuenta. Si no desea obtener un informe de las actividades llevadas a cabo en Internet con esta cuenta, desactive la opción **Activar informe de actividades**. Por otro lado, puede filtrar la lista de sitios Web visitados por equipo, por cuenta de Microsoft Windows y por intervalo de fechas. Imagine que desea saber a qué páginas a intentado acceder su hijo entre un rango de fechas concreto. Haga clic en

el botón de flecha del campo **Fechas** y elija la fecha inicial; después, pulse en el botón de flecha del campo **hasta** y elija la fecha final.

3. Puede mostrar en el informe únicamente la actividad no admitida (que se basará en la configuración de filtrado Web establecida anteriormente) activando la opción **Mostrar la actividad no admitida solamente**. Pulse el botón **Actualizar**.

4. La lista de las direcciones Web a las que se ha dirigido el usuario de la cuenta elegida aparecerá en la parte inferior de la página. Para ver un informe de otras actividades de Internet, como programas de actualización automática, por ejemplo, haga clic en la pestaña **Otras actividades de Internet**.

5. Elija el rango de fechas del que desea obtener el informe y pulse el botón **Actualizar**.

6. Seguidamente, activaremos el informe de actividades para la cuenta principal, en previsión de que los demás miembros de la familia usen esta cuenta cuando naveguen por Internet. Seleccione la cuenta incluida en el apartado **Padres**.

7. Haga clic en la casilla de verificación de la opción **Activar informe de actividades**.

8. En el informe aparecen las direcciones Web, las correspondientes acciones emprendidas por el usuario de la cuenta de Windows elegida y el número de visitas realizadas a esas direcciones. Puede utilizar la columna **Cambiar configuración** para añadirlas a la lista de elementos admitidos o bloqueados. Pulse el botón **Guardar** para almacenar los cambios realizados en la configuración del informe de actividades y dar así por acabado el ejercicio.

IMPORTANTE

Tenga en cuenta que el informe de actividades se **actualiza** con los datos nuevos aproximadamente cada hora, no inmediatamente después de que el usuario de la cuenta infantil visite un sitio Web.

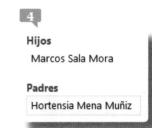

Hijos
Marcos Sala Mora

Padres
Hortensia Mena Muñiz

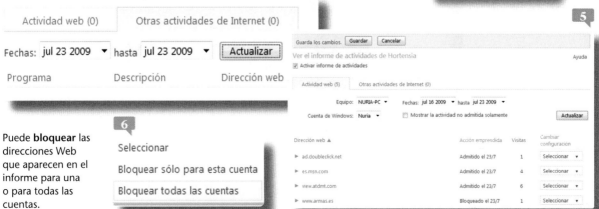

Puede **bloquear** las direcciones Web que aparecen en el informe para una o para todas las cuentas.

Administrar contactos en Protección infantil

UTILIZANDO LAS CUENTAS PARENTALES, la Protección infantil de Windows Live le permite controlar en todo momento las personas con las que mantienen contacto sus hijos. Así, es posible administrar las listas de contactos de sus hijos y decidir qué contactos pueden agregar y qué otros no.

1. Empezamos este ejercicio en la página de Informe de actividades de Protección infantil. Puesto que la administración de contactos sólo está disponible para las cuentas de los hijos, y no para las parentales, haga clic sobre el nombre de la cuenta de uno de sus hijos en el panel de la izquierda.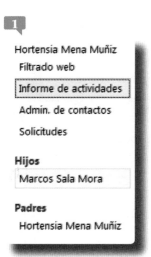

2. Ahora pulse sobre la opción **Administración de contactos**.

3. Como puede ver, la función de administración de contactos de Protección infantil permite determinar si los niños pueden utilizar Windows Live Messenger, Windows Live Hotmail y Espacios de Windows Live, encontrándose por defecto activadas las tres opciones. Además, si no tiene instalado en el equipo Windows Live Messenger puede usar el vínculo **Instalar Messenger en este equipo** para instalarlo. Para eliminar un contacto de esta lista, haga clic en su correspondiente casilla de verificación de la columna **Quitar** y pulse el botón **Guardar**.

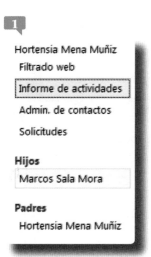

La administración de contactos no está disponible para **cuentas parentales**.

Con la **administración de contactos** puede hacer que sus hijos únicamente se comuniquen con las personas que figuran en la lista que usted controla.

4. Una vez guardados los cambios, puede comprobar que el contacto ya no aparece en la lista. Para agregar un contacto, haga clic en el campo **Escribir nombre** y escriba el nombre del contacto.

5. Rellene los campos **Escribir apellido** y **Escribir dirección de correo** con esa información y pulse el botón **Agregar**.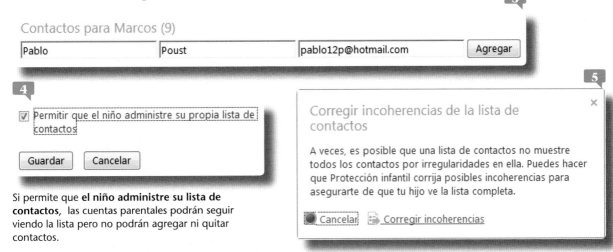

6. Para agregar definitivamente el contacto a la lista, pulse el botón **Guardar** y desplácese por la lista usando la **Barra de desplazamiento vertical** para comprobar que el contacto se ha agregado correctamente.

7. Como puede ver, al final de la lista de contactos disponemos de una opción que permite que el niño administre su propia lista de contactos. Al activarla, el niño podrá agregar y quitar contactos de su lista sin tener que pedir permiso a la cuenta parental. Pulse en la casilla de verificación de la opción **Permitir que el niño administre su propia lista de contactos**.

8. Pulse ahora en el vínculo **Obtener últimas actualizaciones de listas de contactos**.

9. Esta opción le permite corregir posibles incoherencias en la lista de contactos para que el niño pueda verla completa. En el cuadro **Corregir incoherencias de la lista de contactos**, pulse en el vínculo **Corregir incoherencias** y, una vez corregidas las posibles incoherencias, pulse el botón **Cerrar**.

10. Acabe el ejercicio pulsando el botón **Guardar** de la lista de contactos y cerrando sesión en Windows Live mediante el vínculo **Cerrar sesión** de la esquina superior derecha. Si aparece el cuadro **Acción requerida**, ciérrelo pulsando **Cerrar**.

Tras configurar la lista de contactos, **cierre sesión en Windows Live** para evitar que un niño que acceda a Internet con el mismo equipo pueda modificar su propia configuración.

Si permite que **el niño administre su lista de contactos**, las cuentas parentales podrán seguir viendo la lista pero no podrán agregar ni quitar contactos.

Revisar solicitudes en Protección infantil

CUANDO SE ENCUENTRA ACTIVADA la Protección infantil, los niños pueden solicitar a los padres a través del correo electrónico que agreguen determinados sitios Web a su lista de sitios admitidos y determinados contactos a su lista de contactos (en el caso de que en la administración de contactos el padre no haya activado la opción que permite al niño controlar su lista de contactos).

1. Empezamos este ejercicio en la página principal de Windows Live. Inicie sesión pulsando el botón **Iniciar sesión** de su cuenta de Windows Live ID. (Si es necesario, introduzca también su contraseña.) 🔲

2. En la columna **Peticiones** de las cuentas parentales puede ver si existen solicitudes pendientes de confirmar. Haga clic sobre el vínculo que indica el número de solicitudes pendientes. 🔲

3. Si su hijo ha intentado acceder a alguna de las páginas que usted bloqueó en su momento a través del Filtrado Web de Protección infantil o bien ha intentando agregar un contacto a su lista (siempre y cuando no sea él quien la administre) aparecerán las correspondientes solicitudes en este apartado (en las fichas **Solicitudes de acceso a sitio Web** y **Solicitudes del contacto**, respectivamente). Puede ver la dirección para la que solicita acceso y la fecha de la petición. Haga clic en el botón de punta de flecha situado a la izquierda de la dirección Web para ver los posibles comentarios que ha hecho el niño

1

Haga clic en una cuenta de Windows Live ID para iniciar sesión

hortensiamena@hotmail.es | Iniciar sesión

Dejar de recordar mi cuenta

2

Cuentas parentales

Hortensia Mena Muñiz
hortensiamena@hotmail.es | Personalizar | Activado | Ninguno | 1 solicitud
Cuenta principal

Agregar padre | Quitar cuenta

3

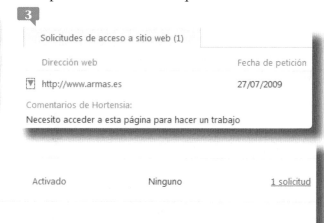

Solicitudes de acceso a sitio web (1)

Dirección web | Fecha de petición
▼ http://www.armas.es | 27/07/2009
Comentarios de Hortensia:
Necesito acceder a esta página para hacer un trabajo

al solicitar el permiso de acceso. (La ausencia de la punta de flecha indica que el niño no ha añadido ningún comentario al enviar la petición.)

4. Para ver las opciones que tiene el padre ante una solicitud de acceso a una página Web, pulse en el botón de flecha del campo **Seleccionar una respuesta**.

5. Como ve, es posible aprobar el acceso a la página para esta cuenta o para todas las cuentas o bien denegar esta solicitud para que el niño siga sin poder acceder a ella. Seleccione la opción **Denegar esta solicitud** y pulse el botón **Guardar**.

6. Active ahora la cuenta infantil para comprobar si tiene peticiones pendientes.

7. Si existen peticiones de contacto pendientes (aparecerá un número entre paréntesis), pulse en el vínculo **Solicitudes del contacto**.

8. En el caso de los contactos, puede ver su nombre y su dirección de correo electrónico, así como la fecha de petición. Si existen comentarios a esta petición, expándalos pulsando en la punta de flecha situada junto al nombre del contacto.

9. Seguidamente, pulse el botón de flecha del campo Seleccionar una respuesta y elija la opción **Aprobar para esta cuenta** si el contacto es fiable.

10. Pulse el botón **Guardar** para almacenar los cambios y cierre la página de protección infantil pulsando el botón de aspa de la **Barra de título** del navegador.

11. Para acabar, cierre también la ventana **Filtro de Windows Live Protección Infantil** pulsando el botón de aspa de su **Barra de título**.

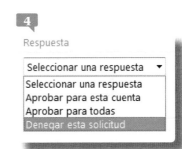

Habilitar y deshabilitar Windows Live Toolbar

WINDOWS LIVE TOOLBAR LE AYUDA en sus tareas de búsqueda y navegación por Internet y le facilita el acceso a los elementos de Windows Live que más utiliza. De manera predeterminada, al descargar la aplicación Windows Live Toolbar, ésta se añade a la interfaz del navegador. Sin embargo, usted puede deshabilitarla y volver a mostrarla siempre que lo desee utilizando el administrador de complementos de Internet Explorer.

1. Para empezar, acceda al navegador **Internet Explorer** pulsando en su icono de la **Barra de tareas.** (Recuerde que si no dispone de este icono puede abrir el navegador desde el elemento **Todos los programas** del menú **Inicio**.)

2. Como ve, al descargar el paquete completo de aplicaciones de Windows Live, la barra **Windows Live Toolbar** se activa automáticamente en el navegador. Para deshabilitar esta barra, puede utilizar el botón de aspa situado en su extremo izquierdo o deseleccionarla en el menú contextual o en la opción **Barras de herramientas** del menú **Ver** o del botón **Herramientas**. Pulse el botón de aspa de **Windows Live Toolbar**.

3. Mantenga el complemento que aparece seleccionado por defecto en el cuadro **Deshabilitar complemento** y pulse el botón **Deshabilitar**.

Windows Live Toolbar se coloca por defecto entre la Barra de direcciones y la Barra de favoritos.

En el cuadro **Deshabilitar complementos** se muestran los elementos asociados a esta barra que también se pueden deshabilitar.

4. Automáticamente se oculta Windows Live Toolbar. Para volver a habilitar este complemento, accederemos esta vez al administrador de complementos. Pulse el comando **Herramientas del navegador** y elija la opción **Administrar complementos**.

5. Utilice la **Barra de desplazamiento vertical** si lo necesita para localizar la aplicación **Windows Live Toolbar** en la sección **Barras de herramientas y extensiones**.

6. Selecciónela y pulse el botón **Habilitar**.

7. En el cuadro **Habilitar complemento**, haga clic en la casilla de verificación de la opción **Windows Live Toolbar BHO** para desactivarla de manera que no se habilite este complemento y pulse el botón **Habilitar**.

8. Observe que este botón pasa a llamarse **Deshabilitar**. Pulse el botón **Cerrar** del cuadro **Administrar complementos**.

9. Una vez habilitada de nuevo la barra, la mostraremos en el navegador. Pulse el botón **Herramientas**, haga clic en la opción **Barras de herramientas** y active **Windows Live Toolbar**.

10. Para acabar, comprobaremos que desde esta barra puede acceder a sus principales elementos de Windows Live, como su perfil, su correo o sus fotos. Haga clic en el botón **Perfil** de Windows Live Toolbar, inicie sesión en Windows Live pulsando en el botón **Iniciar sesión** de su cuenta y vea cómo el navegador muestra la página de su perfil y Windows Live Toolbar indica que ha iniciado sesión.

IMPORTANTE

Al iniciar sesión en Windows Live Toolbar asegúrese de que esta barra se pone de **color verde**, lo que indica que el inicio de sesión está cifrado y es seguro.

6

Novedades | Perfil | Correo | Fotos

7

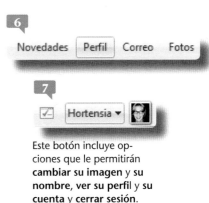

Hortensia ▼

Este botón incluye opciones que le permitirán **cambiar su imagen** y su **nombre**, ver su **perfil** y su **cuenta** y **cerrar sesión**.

3

▼ ▼ 🖨 ▼ Página ▼ Seguridad ▼ Herramientas ▼ ❓ ▼

🔲 Diagnosticar problemas de conexión...

📑 Volver a abrir última sesión de Exploración

🔲 Bloqueador de elementos emergentes ▶

📑 Administrar complementos

5

Habilitar complemento

¿Desea habilitar este complemento?

Windows Live Toolbar

Complementos asociados que también se habilitarán:

☐ Windows Live Toolbar BHO

Obtener información acerca de los complementos | Habilitar | Cancelar

El cuadro **Administrar complementos** muestra todos los complementos añadidos a Internet Explorer (barras de herramientas y extensiones, proveedores de búsqueda, aceleradores y filtros para navegar en privado.)

Opciones de Windows Live Toolbar

WINDOWS LIVE TOOLBAR CUENTA con una serie de botones predeterminados que proporcionan acceso directo a su información de Windows Live, pero permite agregar más botones adicionales de Windows Live Gallery para mejorar así la experiencia de navegación.

1. Windows Live Toolbar permite mostrar hasta 20 botones al mismo tiempo. Los botones que por motivos de espacio no aparecen en la barra, se ocultan bajo el botón de doble punta de flecha que aparece junto a ellos. Compruébelo y pulse la tecla **Escape** para ocultar el menú de botones.

2. Para agregar nuevos botones a Windows Live Toolbar, haga clic en el icono que aparece a la izquierda de su nombre (si ha iniciado sesión) o del término **Iniciar sesión**.

3. Como ve, puede agregar automáticamente los botones que aparecen por defecto en este menú o bien puede pulsar en el vínculo **Buscar más botones** para acceder a la galería de botones de Windows Live y personalizar aún más la barra. Haga clic, por ejemplo, en el vínculo **Agregar** del botón de la **Wikipedia**.

4. Confirme que desea agregar este botón a su barra de herramientas pulsando el botón **Agregar** del cuadro **Agregar un botón**.

La **galería de botones** de Windows Live incluye botones de diferentes programadores, por lo que le recomendamos que instale sólo los botones de los programadores en los que confía para evitar un mal funcionamiento de Windows Live Toolbar.

Botones destacados

W Wikipedia		Agregar
SkyDrive		Agregar
MSN Amor y Amistad		Agregar
Office Live		Agregar
MSN Viajes		Agregar

Buscar más botones...

→ Opciones de Toolbar

5. Compruebe que, efectivamente, se muestra ahora el icono correspondiente a este botón en Windows Live Toolbar. Para mostrar la etiqueta de texto de este botón, haga clic con el botón derecho del ratón en su icono y elija la opción **Mostrar el texto del botón** del menú contextual que se despliega.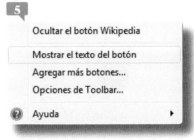

6. Posiblemente, al elegir esta opción el botón se ocultará bajo el de punta de flecha. Puede reducir el tamaño del cuadro de búsqueda para que quepan más botones. Haga clic en el separador situado entre el cuadro de búsqueda y el primer botón de Windows Live Toolbar y, sin soltar el botón del ratón, arrástrelo hacia la izquierda hasta que aparezca un nuevo botón.

7. Ahora, para acceder al cuadro de opciones de Windows Live Toolbar, haga clic nuevamente con el botón derecho del ratón en cualquier punto de la misma y elija **Opciones de Toolbar**.

8. Desde este cuadro puede ocultar botones en la barra, cambiar la ubicación de los botones adicionales, modificar su configuración y desinstalarlos. Haga clic en la casilla de verificación del botón **Novedades**, por ejemplo, para desactivarlo.

9. A continuación, seleccione el botón **Wikipedia** y pulse el botón **Bajar** para situarlo por debajo del botón **Mapas**.

10. Por último, active la opción **Mostrar etiquetas de texto en los botones** pulsando en su casilla de verificación y haga clic en **Aceptar** para aplicar los cambios en Windows Live Toolbar.

Observe que el botón indicado ha desaparecido y que, al ganar espacio, se muestran dos de los botones considerados adicionales, con sus correspondientes etiquetas.

081

Todos los **botones** de la barra Windows Live Toolbar disponen de un menú contextual desde el que es posible ocultarlos y ocultar o mostrar el texto del botón, entre otras opciones.

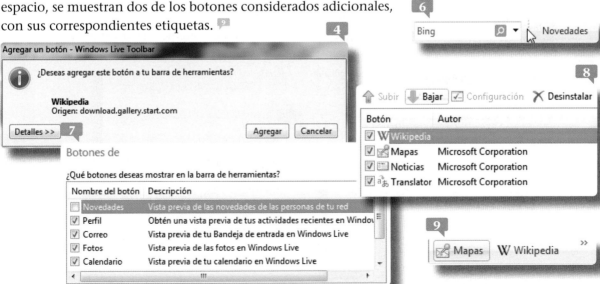

Sincronizar favoritos con Windows Live Toolbar

Descargar   Eliminar

http://www.bcn.es/

LA BARRA WINDOWS LIVE TOOLBAR DISPONE de un botón que permite mantener sincronizados los favoritos agregados a Internet Explorer en cualquier equipo. Para poder beneficiarse de este servicio, debe instalar Windows Live Toolbar en todos los equipos, iniciar sesión con la misma cuenta de Windows Live ID y activar la sincronización de favoritos.

1. Si no ha iniciado sesión en Windows Live, hágalo usando el botón **Iniciar sesión** de Windows Live Toolbar e introduciendo sus datos y, después, pulse en el icono que muestra una estrella y dos flechas azules en Windows Live Toolbar.

2. Se abre así el cuadro **Sincronización de favoritos**, donde puede leer una descripción de esta fantástica utilidad de Windows Live Toolbar. Pulse el botón **Sincronizar** de este cuadro.

3. El sistema activa la sincronización. A partir de ahora sus favoritos de Internet Explorer se mantendrán sincronizados con los de Windows Live siempre que haya iniciado sesión Toolbar. Pulse el botón **Cerrar** de este cuadro de diálogo.

4. Automáticamente el navegador nos muestra la página de Windows Live correspondiente a los favoritos de SkyDrive. Vamos a crear en ella un nuevo favorito para después comprobar que, gracias a la sincronización, éste se añade a los favoritos de Internet Explorer. Pulse en el vínculo **Crear favorito**.

⭐ ☑ Hortensia ▾

Tenga en cuenta que, una vez activada la **sincronización de favoritos**, este icono desaparecerá de la barra Windows Live Toolbar.

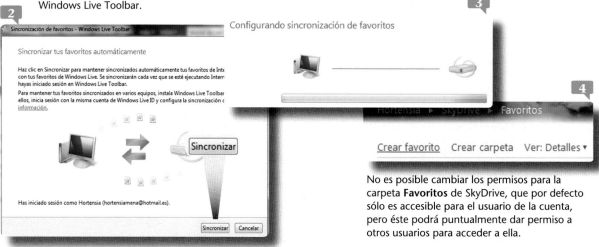

Sincronización de favoritos - Windows Live Toolbar

Sincronizar tus favoritos automáticamente

Haz clic en Sincronizar para mantener sincronizados automáticamente tus favoritos de Internet con tus favoritos de Windows Live. Se sincronizarán cada vez que se esté ejecutando Internet hayas iniciado sesión en Windows Live Toolbar.
Para mantener tus favoritos sincronizados en varios equipos, instala Windows Live Toolbar ellos, inicia sesión con la misma cuenta de Windows Live ID y configura la sincronización d información.

Sincronizar

Has iniciado sesión como Hortensia (hortensiamena@hotmail.es).

Sincronizar   Cancelar

Configurando sincronización de favoritos

Hortensia › SkyDrive › Favoritos

<u>Crear favorito</u>   Crear carpeta   Ver: Detalles ▾

No es posible cambiar los permisos para la carpeta **Favoritos** de SkyDrive, que por defecto sólo es accesible para el usuario de la cuenta, pero éste podrá puntualmente dar permiso a otros usuarios para acceder a ella.

5. Haga clic tras el protocolo en el campo **Dirección web** y escriba la dirección **www.rae.es**.

6. Haga clic en el campo **Nombre**, escriba el término **Real Academia Española y** dejando el campo **Descripción** en blanco, pulse el botón **Crear**.

7. El nuevo favorito aparece ya en la lista de favoritos de SkyDrive. Vuelva a su **Perfil** pulsando en ese vínculo.

8. Para que se actualice la lista de favoritos en Internet Explorer, deberá reiniciar el navegador. Cierre todas las ventanas abiertas del mismo usando el botón de aspa de su **Barra de título** y vuelva a acceder a él usando el icono de la **Barra de tareas**.

9. Haga clic en el botón **Favoritos** de la barra del mismo nombre para mostrar su lista de favoritos y comprobar que, efectivamente, se ha sincronizado con la de Windows Live.

10. Para acabar, llevaremos a cabo la opción contraria, añadir un favorito a la lista de Internet Explorer para comprobar que se añade también a la carpeta de favoritos de SkyDrive. Haga clic en el icono que precede a la dirección en la **Barra de direcciones**, escriba la dirección **www.bcn.es** y pulse **Retorno**.

11. Pulse la combinación de teclas **Ctrl.+D** para añadir esta página, la del Ayuntamiento de Barcelona, a la lista de favoritos y confirme la acción pulsando el botón **Agregar** del cuadro **Agregar un favorito**.

12. Pulse el botón de sesión de Windows Live Toolbar y elija la opción **Ver tu perfil**.

13. Haga clic en el elemento SkyDrive del panel de opciones de la izquierda y pulse sobre la carpeta **Favoritos** para comprobar que también se encuentra en ella la página **www.bcn.es**.

Si deja el campo opcional **Descripción** en blanco, podrá completarlo después si lo desea accediendo a los detalles del favorito mediante una pulsación en su nombre.

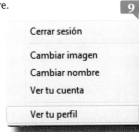

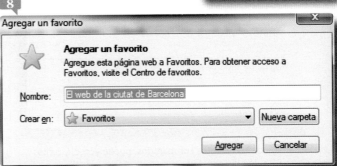

Compartir favoritos con Windows Live Toolbar

ADEMÁS DE PODER SINCRONIZAR los favoritos que añada en su carpeta de favoritos de su espacio SkyDrive con los que añada a Internet Explorer, con Windows Live Toolbar también puede compartir páginas que usted visita frecuentemente con otros usuarios. Para ello debe utilizar el comando Compartir.

1. Empezamos este ejercicio en la página de **Favoritos de SkyDrive** con la sesión iniciada en Windows ID. Accederemos a una página Web que después añadiremos a nuestros favoritos compartidos con otros contactos. Haga clic en el icono que precede a la dirección en la **Barra de direcciones** de Internet Explorer, escriba la dirección de ejemplo **www.microsoft.es**  y pulse la tecla **Retorno** para acceder a esa página.

2. Supongamos que queremos añadir esta dirección a nuestra carpeta de favoritos de SkyDrive pero además queremos que los miembros de nuestra red de Windows Live también vean esta página en la sección de novedades. Haga clic en el botón **Compartir** de Windows Live Toolbar.

3. Se despliega la sección **Convertir en un favorito compartido en Windows Live**, en la que debemos introducir un nombre y, opcionalmente, una descripción para la página. En el campo **Nombre**, cuyo contenido se encuentra seleccionado, escriba la palabra **Microsoft**.

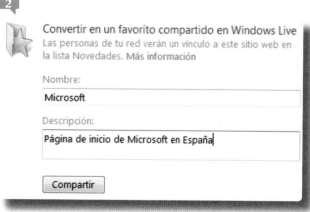

Una vez añadidos los favoritos compartidos, puede acceder a ellos para agregarles una **descripción** o un **comentario**.

4. Haga clic en el campo **Descripción** y escriba, a modo de ejemplo, el término **Página de inicio de Microsoft en España**.

5. Tras completar estos campos, pulse el botón **Compartir**.

6. Aparentemente no ocurre nada, pero ahora accederemos a nuestra carpeta de favoritos compartidos de SkyDrive y veremos que la página se ha almacenado correctamente en ella. Pulse nuevamente el botón **Compartir** y haga clic en el vínculo **Ver todos tus favoritos compartidos**.

7. Efectivamente, la página en cuestión ya se encuentra en la lista de favoritos compartidos. Vamos a añadir otro favorito desde esta ubicación. Pulse en el vínculo **Crear favorito**.

8. Haga clic tras el protocolo **http://** y escriba la dirección **www.marcombo.es**.

9. En el campo **Nombre** escriba la palabra **Marcombo** y, dejando en blanco el campo **Descripción**, pulse el botón **Crear**.

10. Ya tenemos dos favoritos compartidos. Para acabar, veremos cómo modificar los permisos de acceso a esta carpeta. Pulse en el vínculo **Mi red** y, en la siguiente página, haga clic en **Modificar permisos**.

11. Imagine que desea que sólo los miembros de su red pertenecientes a la categoría **Amigos** tengan acceso a su carpeta de favoritos compartidos. Active la opción **Amigos** del apartado **Categorías** y pulse el botón **Guardar**.

12. Puede enviar una notificación a los contactos elegidos o bien omitir este paso. Pulse el botón **Omitir** y vea cómo ahora aparece el término **Personas que yo he seleccionado** en el apartado **Compartido con**.

13. Acabe este ejercicio pulsando en el vínculo **Perfil** para mostrar esa página de Windows Live.

Puede agregar favoritos compartidos usando el comando Compartir de Windows Live Toolbar y añadiéndolos desde la carpeta **Favoritos compartidos** de su espacio SkyDrive.

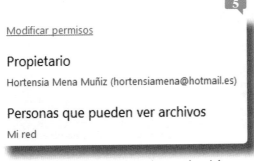

Por defecto, todos los miembros de **su red** podrán acceder a su carpeta de Favoritos compartidos.

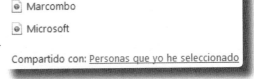

Ir a la Bandeja de entrada desde Windows Toolbar

UNA VEZ INICIADA LA SESIÓN con su cuenta de Windows Live ID, puede obtener una vista previa de los diez mensajes de correo electrónico más recientes de su cuenta de Windows Live Hotmail usando el comando Correo de Windows Live Toolbar. Además, este comando incluye las opciones necesarias para crear nuevos mensajes y para acceder a la bandeja de entrada de su correo.

1. Empezamos este ejercicio en la página de nuestro perfil de Windows Live, con la sesión iniciada. Vamos a acceder a la página establecida como principal en nuestro navegador. Haga clic en el icono **Página principal**, que muestra una casa en la **Barra de comandos** de Internet Explorer.

2. En el extremo derecho de Windows Live Toolbar se muestra su nombre, lo que indica que sigue con la sesión iniciada en Windows Live. Para obtener una vista previa de su Bandeja de entrada en Windows Live, pulse sobre el comando **Correo** de esa barra.

3. Como ve, este comando le muestra una lista con los diez mensajes más recientes recibidos en su cuenta de correo electrónico de Windows Live Hotmail. Un sobre cerrado indica que el mensaje aún no ha sido leído y un sobre abierto, lo contrario. Para abrir un mensaje, pulse sobre él.

Para cambiar la página principal de Internet Explorer use la opción **Agregar o cambiar la página principal** de este botón.

En la **vista previa de su Bandeja de entrada**, junto a cada mensaje puede ver el tiempo que hace que se envió.

4. Automáticamente se abre la página de Hotmail correspondiente a su **Bandeja de entrada**, mostrando el mensaje elegido. Si confía en el remitente y aparece un apartado de seguridad que informa de que los datos adjuntos, las imágenes y los vínculos del mensaje se han bloqueado, pulse en el vínculo **Mostrar el contenido** para desbloquearlos. [3]

5. Como ya sabe, desde esta página puede responder al mensaje, eliminarlo, marcarlo como seguro o como correo no deseado, crear un nuevo mensaje, etc. Pulse en el vínculo **Perfil** para abandonar la **Bandeja de entrada** de Hotmail.

6. Pulse de nuevo el comando **Correo** de Windows Live Toolbar.

7. Puede ver que el mensaje que ha abierto se muestra ya como leído en la vista previa de mensajes. Haga clic en el vínculo **Envía un mensaje**. [4]

8. De nuevo accedemos a la cuenta de Hotmail, concretamente a la página correspondiente a un nuevo mensaje. Ahora, como ya sabe, debería completar el campo **Para** con la dirección de correo electrónico del destinatario del mensaje y el cuerpo del mensaje con el texto que desea enviar. En este ejemplo, saldremos de la página para mostrarle, como último paso, que desde el comando **Correo** de Windows Live Toolbar también es posible acceder directamente a la Bandeja de entrada. Haga clic en el vínculo **Perfil** para salir de la página de Hotmail, pulse una vez más en el comando **Correo** de Windows Live Toolbar y haga clic en el vínculo **Ir a tu Bandeja de entrada**. [5]

9. Tras realizar esta comprobación, acabe el ejercicio volviendo a la página de su perfil.

Si no dispone de una **cuenta de Windows Live Hotmail**, al utilizar el comando Correo de Windows Live Toolbar se le pedirá que cree una.

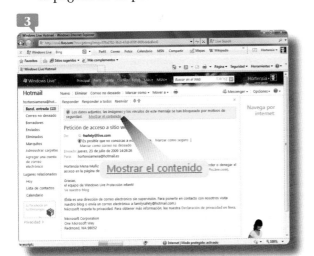

Lógicamente, si no dispone de mensajes en su **Bandeja de entrada** la vista previa se mostrará vacía.

Acceder al Calendario desde Toolbar

WINDOWS LIVE CALENDARIO ES UN PROGRAMA de calendario en línea gratuito que permite realizar el seguimiento de citas, reuniones, eventos, etc. El comando Calendario de Windows Live Toolbar permite ver un resumen del Calendario de Windows Live siempre y cuando se haya iniciado sesión con la cuenta de Windows Live ID. Además, el comando cuenta con un vínculo de acceso directo a esa aplicación y permite agregar y ver más eventos.

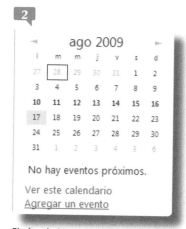

El vínculo **Ver este calendario** nos dirige a la vista mensual del mes seleccionado en la vista previa.

1. Empezamos este ejercicio en la página de nuestro perfil con la sesión iniciada en Windows Live. Haga clic en el comando **Calendario** de Windows Live Toolbar.

2. Aparece una vista previa del calendario, mostrando la fecha de hoy seleccionada y los principales eventos que hayamos añadido al mismo. Puede desplazarse por los meses usando los botones de punta de flecha. Haga clic en el que señala hacia la derecha para pasar al mes siguiente y comprobar si existen eventos en él.

3. Desde esta vista previa puede agregar nuevos eventos. Haga clic sobre cualquiera de los días del calendario y pulse en el vínculo **Agregar un evento**.

4. Para acceder a Windows Live Calendario, primero debe seleccionar su zona horaria. Mantenga seleccionada la zona horaria de Madrid y pulse el botón **Ir a tu calendario**.

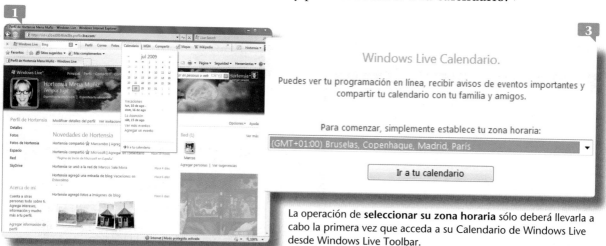

La operación de **seleccionar su zona horaria** sólo deberá llevarla a cabo la primera vez que acceda a su Calendario de Windows Live desde Windows Live Toolbar.

085

5. Automáticamente aparece la página **Agregar un evento** del Calendario de Windows Live. En el campo **Qué** escriba, por ejemplo, **Cumpleaños de Ana**.

6. Pulse en la casilla de verificación de la opción **Todo el día**.

7. Pulse el botón **Establecer repetición**, pulse en el botón de punta de flecha del campo **Frecuencia** y elija la opción **Anual**.

8. Haga clic en la parte inferior de la **Barra de desplazamiento vertical** y pulse el botón **Guardar** para almacenar el evento.

9. El evento aparece ya en la vista **Mes** del Calendario, en la fecha indicada. Sitúe el puntero del ratón sobre él para que aparezca su cuadro de opciones y pulse en el vínculo **Eliminar evento**.

10. Puesto que hemos establecido una periodicidad anual para este evento, un cuadro de diálogo nos pregunta si queremos eliminar esta repetición o todas las repeticiones. Haga clic en el botón de opción **Todas las repeticiones** y pulse el botón **Eliminar**.

11. Puede mostrar el Calendario de Windows Live por días, por semanas o por meses, así como activar su agenda y la lista de tareas pendientes. Haga clic en la pestaña **Agenda**.

12. Esta sección muestra todos los eventos pendientes en un período de tiempo determinado. Vuelva a la página de su perfil pulsando en el vínculo **Perfil**.

13. Para acabar, accederemos nuevamente al Calendario de Windows Live desde el comando **Calendario**. Pulse ese botón de Windows Live Toolbar y haga clic en **Ir a tu Calendario**.

14. De nuevo nos encontramos en la vista mensual del calendario. Acabe el ejercicio pulsando en el vínculo **Principal**.

Puede establecer una **fecha de inicio** y una **fecha de fin** y una hora de inicio y una hora de fin para el nuevo evento.

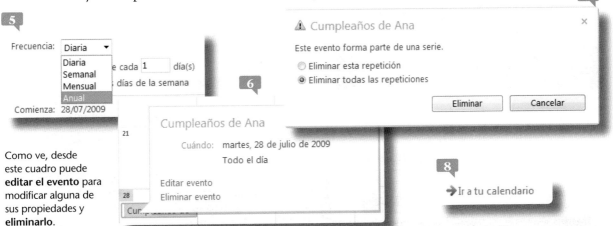

Como ve, desde este cuadro puede **editar el evento** para modificar alguna de sus propiedades y **eliminarlo**.

Mantenerse informado gracias a Toolbar

WINDOWS LIVE TOOLBAR CUENTA por defecto con dos comandos que permiten ver los titulares de las noticias puntualmente actualizados. Se trata de los botones MSN y Noticias. Además, puede agregar nuevos botones de noticias para estar siempre informado de todo lo que ocurre en el mundo.

1. En este ejercicio le mostraremos cómo puede mantenerse informado de las noticias que se producen en el mundo gracias a los comandos de noticias incluidos en Windows Live Toolbar. Para empezar, haga clic en el botón **MSN** de dicha barra para obtener una vista previa de los titulares de MSN.

2. Aparece así dicha vista previa, que muestra tres categorías, MSN Noticias, MSN Deportes y MSN Entretenimiento-Corazón, con vínculos a tres noticias en cada una de ellas. Pulse sobre cualquiera de las noticias del apartado **MSN Deportes**.

3. Automáticamente accedemos a la página de MSN Deportes en la que se encuentra la noticia seleccionada.  Desde el comando MSN también podemos dirigirnos a la página principal de MSN. Pulse nuevamente en ese comando de Windows Live Toolbar y pulse en el vínculo **Ir a MSN**.

4. Esta página también incluye un vínculo a su sección de noticias, que nos facilita información periódicamente actualizada de todo lo que ocurre en el mundo. El otro comando de Win-

→ Ir a MSN

dows Live Toolbar que nos permite mantenernos informados es **Noticias**. Si ese botón no se muestra en la barra, haga clic en el botón de doble punta de flecha situado en su extremo derecho y pulse en el botón de flecha del comando **Noticias**.

5. Pulse la tecla **Escape** para cerrar la lista de titulares.

6. Ahora veremos cómo agregar un nuevo botón de noticias a nuestra barra Windows Live Toolbar. Haga clic en el icono **Obtener nuevos botones para Windows Live Toolbar**, el situado a la izquierda del comando que indica el inicio de sesión, y pulse en la opción **Buscar más botones**.

7. En la sección de categorías **Toolbar**, a la izquierda de la página, pulse sobre el vínculo **Noticias y boletines**.

8. A modo de ejemplo, añadiremos a nuestra barra el botón de noticias del diario **El País**. Haga clic en la parte inferior de la **Barra de desplazamiento vertical** y pulse el botón **Descargar** correspondiente a esa opción.

9. El sistema recomienda no instalar aplicaciones de programadores que no sean de confianza, ya que esto puede derivar en problemas de seguridad. Pulse el botón **Instalar** y haga clic en el botón **Agregar** del cuadro **Agregar un botón**.

10. Automáticamente el botón se añade a Windows Live Toolbar. Pulse sobre él para acceder a la página de El País y, para acabar, pulse en el botón de inicio de sesión de Windows Live Toolbar y active la opción **Ver tu perfil**.

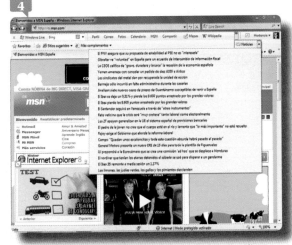

086

Puede acceder a la página de MSN en la que se explican detalladamente las **noticias** pulsando sobre ellas en esta vista previa.

Agregar Bing como proveedor de búsquedas

UNA DE LAS MÚLTIPLES VENTAJAS que ofrece Windows Live Toolbar es su buscador, que permite lanzar búsquedas rápidamente sin necesidad de acceder a la página Web de un buscador. De manera predeterminada, Windows Live Toolbar utiliza como motor de búsqueda el nuevo buscador Bing de Microsoft, anteriormente denominado Live Search, que también podemos añadir como proveedor de búsquedas predeterminado para Internet Explorer.

1. Como puede ver en el cuadro de búsqueda de Windows Live Toolbar, el proveedor de búsquedas predeterminado para esta aplicación es Bing, de Microsoft. Para comprobar la potencia de este buscador, haga clic en el campo de búsqueda, escriba, por ejemplo, el término **Mozart** y pulse la tecla **Retorno**. 🔲

2. Se abre la página de este buscador mostrando todos los resultados encontrados. Si no tiene activada Windows Live Toolbar, puede utilizar el cuadro de búsqueda instantánea de Internet Explorer, situado en la esquina superior derecha del programa. Vamos a establecer Bing como proveedor de búsqueda predeterminado para este cuadro. Pulse el botón de punta de flecha del mismo y elija la opción **Buscar más proveedores**. 🔲

Puede utilizar el **cuadro de búsqueda de Windows Live Toolbar** para realizar búsquedas sin necesidad de acceder a la página principal de Bing.

La opción **Buscar en esta página** coloca un cuadro de búsqueda en la cabecera de la página actual que permite realizar búsquedas en ella.

3. Accedemos así a la sección de búsqueda de la Galería de complementos para Internet Explorer 8. Haga clic en el botón **Añadir a Internet Explorer** del buscador **Bing Search**. 3

4. El cuadro **Agregar proveedor de búsquedas** le permite establecer este buscador como predeterminado y usar sus sugerencias de búsqueda. Haga clic en la casilla de verificación de la opción **Convertir este proveedor de búsquedas en el predeterminado** para activarla y pulse el botón **Agregar**. 4

5. Vea cómo aparece el nombre del nuevo proveedor de búsquedas en el cuadro de búsqueda de Internet Explorer. Para comprobar que aún disponemos del proveedor de búsquedas establecido como predeterminado antes de agregar Bing, pulse el botón de punta de flecha de este cuadro.

6. Efectivamente, si disponía de otro buscador, éste aparecerá también en la lista. Pulse en la opción **Administrar proveedores de búsqueda**. 5

7. Se abre el cuadro **Administrar complementos**, mostrando la lista de proveedores de búsqueda instalados. Tal y como hemos establecido al agregarlo, Bing es ahora el proveedor predeterminado. Puede cambiar este estado seleccionando cualquier otro proveedor y pulsando el botón **Predeterminado**. En este ejercicio, quitaremos el segundo proveedor de búsquedas. Selecciónelo y pulse el botón **Quitar**.

8. Una vez eliminado, pulse el botón **Cerrar** para dar por acabado este ejercicio. 6

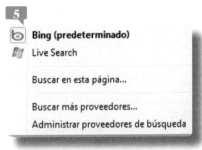

En el menú de proveedores de búsqueda, se indica entre paréntesis y con negrita cuál es el **predeterminado**.

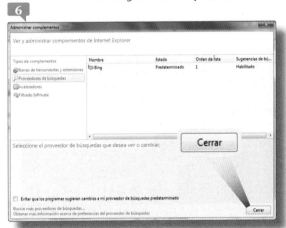

Sepa que si no activa la opción **Convertir este proveedor de búsquedas en el predeterminado** al agregar el proveedor, podrá después aplicarle esta propiedad desde el cuadro Administrar complementos.

Desde el cuadro **Administrar complementos** puede agregar todo tipo de complementos para su navegador: barras de herramientas, proveedores de búsqueda, aceleradores, etc.

Cambiar las preferencias de búsqueda en Bing

DESDE LA PÁGINA PRINCIPAL DEL PROVEEDOR de búsquedas Bing, de Microsoft, puede personalizar el modo en que se comportará al ejecutar las búsquedas, estableciendo una serie de preferencias de seguridad y de aspecto.

1. Bing es la nueva herramienta de búsqueda de Microsoft, con un aspecto y un funcionamiento totalmente renovados que facilitan y agilizan la búsqueda en Internet. En el momento de redactar este libro, Bing todavía se encuentra en España en versión Beta, pero Microsoft trabaja constantemente para mejorarlo y brindar una experiencia de rastreo única y más completa. Para empezar, accederemos a la página principal de este motor de búsqueda. Haga clic en el icono que precede a la dirección en la **Barra de direcciones** de Internet Explorer, escriba **www.bing.es** y pulse la tecla **Retorno**.

2. Para acceder a las preferencias del buscador, haga clic en el vínculo **Extras** y pulse en la opción **Preferencias**.

3. En la sección **Configuración general** de la página de preferencias puede establecer el filtro que se aplicará para las páginas con contenido sexualmente explícito. Para aumentar el nivel

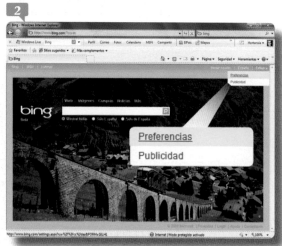

Bing tiene una interfaz con una **imagen distinta** cada día en la página de inicio. Si sitúa el puntero del ratón sobre el símbolo de copyright podrá ver información sobre esa imagen.

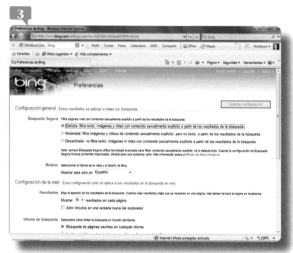

Por defecto se encuentra activado el filtro **Moderada**, según el cual se filtrarán imágenes y vídeos de contenido sexualmente explícito, pero no texto, a partir de los resultados de las búsquedas.

de seguridad y hacer que también se filtren los textos con contenido sexual pulse en el botón de opción **Estricta**.

4. En el apartado **Mostrar** puede seleccionar el idioma de la vista y el diseño de Bing. En este caso, mantendremos el español. El apartado **Configuración de la Web** permite determinar el aspecto de los resultados de la búsqueda y el idioma de la misma. Por defecto, Bing mostrará 10 resultados en cada página. Haga clic en el botón de punta de flecha del campo **Mostrar resultados en cada página** y elija la opción **15**.

5. Debe saber que cuantos mayor sea el número de resultados que desea mostrar en la página, mayor será también el tiempo que tardará la página en mostrarlos. Haga clic en la casilla de verificación de la opción **Abrir vínculos en una ventana nueva del explorador**.

6. Gracias a esta opción, los vínculos de los resultados se abrirán en nuevas ventanas, lo que permitirá tener siempre la ventana con la lista de resultados disponible. Haga clic en la parte inferior de la **Barra de desplazamiento vertical** para ver completa la sección **Idioma de búsqueda de las preferencias**.

7. Como ve, en esta sección se encuentra activada la opción por la cual Bing buscará páginas escritas en cualquier idioma, pero puede cambiar esta opción y limitar las búsquedas a páginas escritas en los idiomas marcados. Para almacenar la nuevas preferencias y dar por acabado el ejercicio, pulse el botón **Guardar configuración**.

088

5

☑ Abrir vínculos en una ventana nueva del explorador

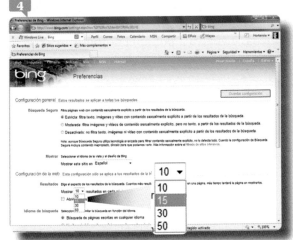

Puede mostrar 10, 15, 30 o hasta 50 **resultados de la búsqueda** en cada página, pero cuantos más muestre, más tiempo tardará la página en cargarse.

Para recuperar las preferencias originales del buscador Bing, haga clic en el vínculo **Restablecer valores predeterminados** de la página de preferencias.

Rastrear con el buscador Bing

MICROSOFT OFRECE AL USUARIO con su renovado buscador Bing una experiencia de búsqueda avanzada y mejorada. Algunas de las particularidades de Bing son la posibilidad de ver un resumen de los contenidos de las páginas en la lista de resultados con sólo poner el puntero del ratón sobre el enlace, sin necesidad de acceder al sitio, y de reproducir los vídeos también sin necesidad de hacer clic sobre ellos. Además, tiene la capacidad de organizar los resultados de las búsquedas por categorías.

1. En este ejercicio conoceremos el enorme potencial del motor de búsqueda de Microsoft, Bing. Realizaremos un par de búsquedas, una sencilla y otra avanzada, para ver las opciones que nos ofrece para mejorar los resultados. A modo de ejemplo, empezaremos buscando información sobre el actor **Joaquin Phoenix**. En el cuadro de búsqueda de la página principal de Bing, escriba ese nombre y pulse en el icono **Buscar.**

2. Tal y como hemos especificado en las preferencias, se muestran las primeras 15 coincidencias. En la parte superior de la página puede ver el número de resultados que ha encontrado el buscador. Además de los enlaces a las páginas, Bing ofrece vínculos a imágenes del actor, que puede filtrar por tamaño, por blanco y negro o color, etc. Para mostrar únicamente los resultados de España, haga clic en el botón de opción **Sólo de España**, bajo el cuadro de búsqueda, y vuelva a pulsar el botón **Buscar.**

3. Compruebe que, tal y como hemos especificado en las preferencias de Bing, los vínculos se abren en nuevas ventanas del navegador pulsando sobre uno de los resultados.

4. Cierre la nueva ventana del navegador pulsando el botón de aspa de su **Barra de título**.

5. De nuevo en la página de resultados, pulse en el vínculo **Avanzada**.

6. Realizaremos un nuevo rastreo utilizando las opciones de **Búsqueda avanzada**. Como ve, puede añadir términos a la búsqueda realizada, buscar resultados en sitios y dominios concretos y en países o regiones específicos y seleccionar el idioma en que deberán estar escritas las páginas. Haga clic en el campo de búsqueda y escriba, por ejemplo, el término **El bosque**.

7. Pulse en el botón de punta de flecha de la opción **Todos estos términos** y elija **Esta frase exacta**.

8. De este modo, añadiremos a la búsqueda anterior el título de esta película, para afinar aún más los resultados. Pulse el botón **Agregar a la búsqueda**.

9. En pocos segundos, la página se actualiza mostrando los nuevos resultados obtenidos. Cierre la sección de búsqueda avanzada pulsando en su botón de aspa y, para acabar el ejercicio, vuelva a la página principal de Bing pulsando en el vínculo con su nombre de la esquina superior izquierda.

IMPORTANTE

En este libro trabajamos con la versión beta para España de Bing. Cuando se actualice a la versión definitiva, podrá comprobar que al situar el puntero del ratón sobre determinados puntos de la imagen de fondo del buscador, aparecen datos sobre esa imagen. Además, unos botones de flecha situados en la esquina inferior derecha le permitirán **navegar por fotos anteriores**.

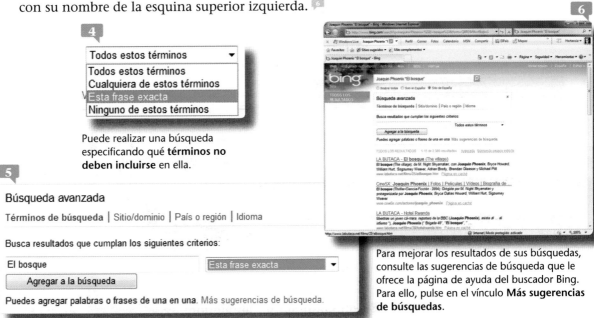

Todos estos términos

Todos estos términos
Cualquiera de estos términos
Esta frase exacta
Ninguno de estos términos

Puede realizar una búsqueda especificando qué **términos no deben incluirse** en ella.

Búsqueda avanzada

Términos de búsqueda | Sitio/dominio | País o región | Idioma

Busca resultados que cumplan los siguientes criterios:

El bosque | Esta frase exacta

Agregar a la búsqueda

Puedes agregar palabras o frases de una en una. Más sugerencias de búsqueda.

Para mejorar los resultados de sus búsquedas, consulte las sugerencias de búsqueda que le ofrece la página de ayuda del buscador Bing. Para ello, pulse en el vínculo **Más sugerencias de búsquedas**.

Buscar imágenes con Bing

EL POTENTE BUSCADOR DE IMÁGENES de Bing permite filtrar los resultados de las búsquedas siguiendo diferentes criterios: así, puede filtrar las imágenes por tamaño, por diseño, por color, por estilo y por aparición de personas. También es posible modificar el zoom de la página de resultados utilizando los iconos de visualización y obtener información de las imágenes con sólo situar el puntero del ratón sobre ellas.

1. Dedicaremos este ejercicio a practicar con las opciones de búsqueda de imágenes que ofrece Bing. Empezamos en la página principal del buscador. Pulse en el vínculo **Imágenes**.

2. En el campo de búsqueda, escriba, a modo de ejemplo, la palabra **Austria** y pulse el icono **Buscar** (representado por una lupa).

3. En pocos segundos se muestran en la primera página de resultados las 12 primeras imágenes. Sitúe el puntero del ratón sobre cualquier de ellas y pulse en el vínculo **Mostrar imágenes similares**.

4. Automáticamente la página se actualiza con nuevas imágenes parecidas a la escogida. Para aumentar el zoom de visualización de las imágenes, pulse en el tercer icono, **Zoom grande**, de los situados en la esquina superior derecha de la lista de resultados.

1

Web | Imágenes | Compras | Noticias | Más

También puede realizar primero una búsqueda Web de un término y después buscar imágenes relacionadas con dicha búsqueda pulsando en el vínculo **Imágenes**.

2

Austria

● Mostrar todas   ● Sólo Español   ● Sólo de España

4

3

austria_pictures_door.jpg

600 x 399 · 71 kB
www.bugbog.com

Mostrar imágenes similares

Al situar el puntero del ratón sobre cualquiera de los resultados de la búsqueda de imágenes, aparece **información** sobre los mismos (dimensiones, tamaño y dirección Web.)

090

5. Y ahora, para mostrar los detalles de las imágenes, pulse en el último de estos iconos.

6. A continuación, pulse sobre una de las imágenes para acceder a la página Web que la contiene y haga clic en el vínculo **Mostrar imagen a tamaño completo**.

7. La imagen aparece con su tamaño real en una nueva ventana del navegador. Ciérrela pulsando el botón de aspa de su **Barra de título** y después pulse en el vínculo **Volver a resultados**.

8. El panel de la izquierda del buscador muestra una serie de categorías que le permiten filtrar las imágenes. Para mostrar únicamente las imágenes grandes, pulse en el vínculo **Grande** del apartado **Tamaño**.

9. Vea cómo queda resaltada esa opción en el panel de filtros y cómo aparece la opción **todos** en este apartado para que pueda recuperar todos los resultados de la búsqueda, sin aplicar filtros. Ahora mostraremos únicamente las imágenes en blanco y negro. Haga clic en el vínculo **Blanco y negro** del apartado **Color**.

10. Pulse en el vínculo **todos** de ese apartado para volver a ver las imágenes en color y desplácese por el panel de filtros con ayuda de la **Barra de desplazamiento vertical**.

11. Compruebe que también puede aplicar filtro para mostrar únicamente fotografías o ilustraciones y para mostrar retratos de personas. Para acabar este ejercicio en el que ha conocido el enorme potencial del buscador de imágenes de Bing, vuelva a la página principal del mismo pulsando en su vínculo.

Al aplicar un filtro de imágenes, éste queda resaltado en **negrita** en el panel de filtros.

Buscar lugares en Bing Maps

CON BING MAPS RESULTA SENCILLO y rápido realizar búsquedas de empresas, lugares o colecciones de lugares de cualquier punto del planeta, mostrar los resultados en mapas 2d o 3d y en vistas de pájaro, Y obtener indicaciones detalladas sobre cómo llegar de un lugar a otro.

IMPORTANTE

En determinadas búsquedas de lugares, los minimapas pueden ofrecer una **vista de calles** y una **vista híbrida**.

1. Como hemos dicho ya en varias ocasiones, al redactar este libro Microsoft todavía no ha lanzado en España la versión definitiva de su buscador Bing. La versión beta con la que estamos realizando estos ejercicios no incluye Bing Maps, por lo que lo primero que haremos será acceder a la versión de Estados Unidos del buscador. Haga clic en el vínculo **España** situado en su esquina superior derecha.

2. En la página de selección de país o región, pulse en la opción **Estados Unidos-Español**.

3. Ahora sí aparece el vínculo **Mapas**. Pulse sobre él.

4. Accedemos así al Centro de bienvenida de Bing Maps. Mediante el cuadro de búsqueda de esta página puede buscar empresas, lugares o colecciones de lugares. A modo de ejemplo, buscaremos la ubicación de un pequeño pueblo de montaña. Haga clic en el vínculo **Lugares**.

5. Haga clic en el cuadro de búsqueda, escriba las palabras **Bustillé Asturias** y pulse el icono **Buscar**.

091

6. Automáticamente se muestra en el mapa el resultado de la búsqueda. Puede acercar o alejar el zoom pulsando en los iconos de lupa que aparecen en el mapa. Si mantiene presionados esos botones, acercará y alejará sin interrupción. Para alejar el zoom, mantenga pulsado durante unos segundos el icono que muestra una lupa con un signo menos.

7. De este modo alejamos el zoom y el mapa se muestra con menos detalle. Para mostrar el lugar buscado en un minimapa, haga clic en el botón que muestra una flecha situado en la esquina superior derecha del mapa y luego oculte el minimapa pulsando de nuevo ese botón.

8. Acerque el zoom pulsando durante unos segundos el icono **Acercar**, que muestra una lupa con el signo más y después active la vista **Aérea** pulsando en ese vínculo.

9. Ahora realizaremos otra búsqueda, esta vez de un monumento, para comprobar el potencial de la vista aérea. Haga clic en el cuadro de búsqueda, escriba las palabras **Coliseum Roma** y pulse el botón **Buscar**.

10. Puesto que hemos buscado el monumento de una ciudad, el mapa muestra ahora las calles de Roma y la ubicación exacta del Coliseo. Pulse en el vínculo **Vista de pájaro**.

11. Bing Maps le permite ahora incluso girar el ángulo de la cámara para obtener diferentes perspectivas del monumento. Pulse dos veces el icono **Girar ángulo de cámara en el sentido de las agujas del reloj**, que muestra una flecha circular que señala hacia la derecha y, para acabar, oculte el panel de resultados pulsando el botón de aspa de manera que el mapa aumente sus dimensiones.

El **minimapa** de Bing Maps permite posicionar geográficamente un punto concreto.

Añadir lugares favoritos en Bing Maps

BING MAPS PERMITE AGREGAR BÚSQUEDAS de lugares a una colección de favoritos para tenerlas disponibles siempre que sea necesario o bien poder compartirlas en cualquier momento con otros usuarios.

1. Empezaremos este ejercicio realizando la búsqueda de una empresa concreta en Bing Maps. Haga clic en el vínculo **Empresas**.

2. En el primer cuadro de búsqueda, escriba la palabra **Mediaactive** y, tras seleccionar y borrar el contenido del segundo, escriba la dirección **Pallars 141 Barcelona** y pulse el icono **Buscar**.

3. En pocos segundos, Bing Maps muestra los datos de la empresa buscada además de su ubicación en el mapa con la vista de pájaro que activamos en el ejercicio anterior. Pulse en el vínculo **Calles** en el mapa para ir a esa vista.

4. Observe que el panel de resultados nos permite acceder directamente a la página Web de la empresa, obtener indicaciones sobre cómo llegar a ella desde un punto concreto, agregar la búsqueda a la colección y enviarla por correo electrónico. Pulse en el vínculo **Agregar a la colección**.

5. El cuadro **Editor de colecciones** nos informa de que es necesario iniciar sesión para poder almacenar esta búsqueda. Pulse

en el vínculo **Iniciar sesión** de dicho cuadro 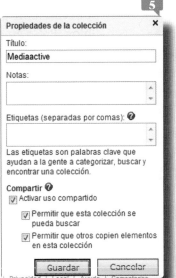 y, si es necesario, introduzca los datos de su Windows Live ID.

6. Una vez iniciada la sesión (observe que su nombre aparece en la cabecera de Bing), pulse en el vínculo **Guardar ahora**.

7. El cuadro pasa a llamarse **Propiedades de la colección**. En el campo **Título** escriba la palabra **Mediaactive**.

8. Como ve, al guardar la búsqueda de un lugar puede añadir notas y etiquetas que ayuden a otros usuarios a encontrarla y categorizarla. Deje en blanco estos campos y manteniendo activadas todas las opciones del apartado **Compartir**, pulse el botón **Guardar**.

9. Una vez guardado el lugar, volvemos al cuadro **Editor de colecciones**. Pulse en el botón **Acciones** para ver sus opciones.

10. Entre ellas se encuentra la posibilidad de volver a ver las propiedades de la colección para consultarlas o modificarlas, enviarla por correo electrónico, exportarla con diferentes formatos y eliminarla. Pulse de nuevo en ese botón para ocultar el menú de acciones.

11. Pulse ahora en el comando **Colecciones** para comprobar que la colección **Mediaactive** se ha almacenado correctamente.

12. Efectivamente, la colección aparece en esta lista, desde la que puede crear una nueva colección e incluso importarla desde otra ubicación. Para acabar este sencillo ejercicio, cierre el cuadro **Editor de colecciones** pulsando en su botón de aspa.

Los iconos de la parte inferior del cuadro Editor de colecciones permiten, entre otras acciones, agregar marcadores, **trazar rutas y áreas** en el mapa, y definir el color de relleno y el grosor y el estilo de las líneas que marcan esas rutas y áreas.

Al utilizar el comando **Eliminar**, Bing Maps nos pedirá confirmación para eliminar definitivamente la colección seleccionada.

Compartir mapas con Bing Maps

BING MAPS OFRECE LA POSIBILIDAD de compartir el resultado de una búsqueda de un lugar de diferentes maneras. El comando Compartir permite agregar la dirección URL resultante de la búsqueda en Bing Maps al blog de nuestro espacio de Windows Live, enviarla por correo electrónico con Windows Live Mail o bien copiarla en el Portapapeles del sistema para después pegarla en cualquier otra ubicación (por ejemplo, en un nuevo documento o en el cuerpo de un mensaje de correo electrónico.)

1. Empezamos este ejercicio en la página principal de Bing Maps de Estados Unidos (en español). Pulse en el vínculo **Lugares**.

2. Haga clic en del cuadro de búsqueda, escriba los términos **calle Santa Anna Barcelona** y pulse el icono **Buscar**.

3. Automáticamente el mapa muestra el resultado de la búsqueda. Active la vista **Calles** pulsando en ese vínculo.

4. Para aumentar el zoom, pulse durante unos segundos sobre el icono **Acercar**. Después, pulse en el vínculo **Compartir**.

5. El cuadro **Compartir** nos ofrece varias opciones para compartir este mapa. Podemos copiar la dirección URL en el Portapapeles del sistema para después pegarla en un correo electrónico, en un mensaje instantáneo o en un documento, enviarla directamente por correo electrónico o bien agregarla a nuestro blog. Pulse en el botón **Enviar por correo**.

6. Los mapas de Bing Maps se envían utilizando Windows Live Mail, por lo que antes de acceder a esta aplicación deberá iniciar sesión en Windows Live. Introduzca su Windows Live ID y su contraseña en el cuadro de inicio de sesión y pulse el botón **Iniciar sesión**.

7. En Windows Live Mail rellene el campo **Para** con la dirección del destinatario del mensaje y pulse el botón **Enviar**.

8. Veamos otra manera de compartir una búsqueda de Bing Maps. Pulse en el botón **Agregar al blog** del cuadro **Compartir**.

9. Nuevamente tenemos que iniciar sesión para acceder a nuestro espacio de Windows Live, donde se ubica nuestro blog. Pulse el botón **Iniciar sesión** de su cuenta de Windows Live e indique su contraseña si se la pide el sistema.

10. Se abre así el blog de nuestro espacio. Pulse el vínculo **Publicar entrada** y, en el blog, haga clic en el vínculo **Bing Maps** para comprobar que accedemos así a la página de nuestro mapa.

11. Cierre esta nueva ventana del navegador y, de nuevo en el cuadro **Compartir**, pulse en el botón **Copiar al Portapapeles**.

12. Pulse el botón **Permitir acceso** del cuadro de advertencia que aparece y cierre el cuadro **Compartir** pulsando su botón de aspa.

Ahora tenemos la dirección en el Portapapeles del sistema, lista para ser pegada en el cuerpo de un mensaje, en un mensaje instantáneo o en un documento. Compruébelo abriendo un nuevo documento de Word, por ejemplo, y pegándola en él.

El campo **Título** del blog queda completado por defecto con el término **Trata de Bing Maps** y un vínculo en el cuerpo de la entrada nos dirigirá a la URL de la búsqueda.

Windows Live Mail muestra como **asunto Bing Maps** y la dirección URL correspondiente a la búsqueda realizada.

Obtener indicaciones de ruta con Bing Maps

BING MAPS PERMITE OBTENER INDICACIONES de ruta indicando un punto de partida y uno de llegada o estableciendo sólo un punto de destino. También es posible agregar indicaciones para varias paradas a lo largo del camino. Los puntos de partida, de destino y de parada pueden ser direcciones de calles, lugares, barrios, puntos de referencia o puntos del mapa.

1. Para empezar este ejercicio, haga clic en el vínculo **indicaciones** de Bing Maps.

2. Se activa así el panel **Indicaciones de ruta**, en el que debemos indicar un punto de inicio y uno de destino. En este ejemplo, crearemos indicaciones de ruta para llegar desde una dirección de Barcelona hasta otra. Haga clic en el campo **Inicio** y escriba la dirección de ejemplo **Calle Pallars 141 Barcelona.**

3. Pulse ahora en el campo **Destino** y escriba la dirección Calle **Mallorca 25 Barcelona.**

4. El vínculo **Agregar al viaje** permite especificar paradas que se desea realizar durante el viaje. Haga clic en ese vínculo.

5. Ahora el campo **Destino** ha quedado vacío y la dirección anterior se muestra en el campo **Detener.** Haga clic en el campo **Destino** y escriba la dirección **Calle Igualada 37 Barcelona.**

6. Puede ir agregando todas las paradas que desee realizar durante el viaje repitiendo estos pasos. En la sección **Opciones**

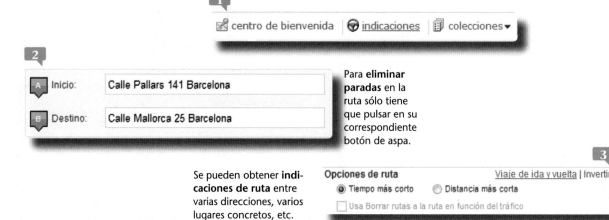

centro de bienvenida | indicaciones | colecciones ▾

| | Inicio: | Calle Pallars 141 Barcelona |
| A | Destino: | Calle Mallorca 25 Barcelona |

Para **eliminar paradas** en la ruta sólo tiene que pulsar en su correspondiente botón de aspa.

Se pueden obtener **indicaciones de ruta** entre varias direcciones, varios lugares concretos, etc.

Opciones de ruta   Viaje de ida y vuelta | Invertir
⦿ Tiempo más corto   ○ Distancia más corta
☐ Usa Borrar rutas a la ruta en función del tráfico

de ruta puede invertir el sentido de la ruta, ver indicaciones de ida y vuelta y modificar la ruta en función del tiempo o la distancia. Haga clic en el vínculo **Viaje de ida y vuelta**.

7. Vea cómo aparece un nuevo elemento en el panel de indicaciones; ahora el elemento **Destino** es el mismo que el elemento **Inicio**. Haga clic en el botón de opción **Distancia más corta**.

8. Una vez establecidas las condiciones de la búsqueda de indicaciones, pulse el botón **Obtener indicaciones**.

9. Automáticamente la página se actualiza mostrando en el panel de indicaciones el recorrido paso a paso y en el mapa la representación gráfica del mismo. Junto al término **Viaje** se especifica la distancia del mismo en millas y su tiempo. Haga clic en la parte inferior de la **Barra de desplazamiento** del panel de indicaciones para ver la primera parada.

10. Utilizando los botones de flecha que aparecen junto a la parada puede cambiar su ubicación en el recorrido. Además, los vínculos **Guardar este lugar** y **Modificar** le permiten almacenar el lugar y cambiar las direcciones de las paradas. Para eliminarla, pulse el botón de aspa.

11. Se reorganizan así las indicaciones para la nueva ruta. También puede seguirlas manualmente en el mapa. Haga clic sobre el punto de origen de la ruta en el mapa y en el cuadro que aparece, vaya pulsando en el vínculo **Paso siguiente** para ir viendo el recorrido en el mapa y acabar el ejercicio.

Al igual que ocurre con las búsquedas de lugares concretos, las indicaciones de ruta también pueden compartirse con otros usuarios utilizando el vínculo **Compartir**.

Para borrar las indicaciones de ruta o poder generar una nueva ruta, pulse en el vínculo **Borrar** del panel de indicaciones.

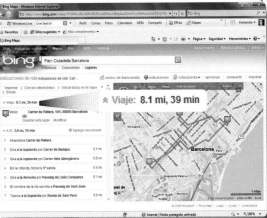

094

Imprimir mapas desde Bing Maps

BING MAPS PERMITE IMPRIMIR LOS MAPAS, los resultados de las búsquedas, el contenido de sus colecciones, las notas e incluso las indicaciones de ruta. En función del tipo de información que se vaya a imprimir y de la impresora que se utilice para ello, las opciones de impresión variarán.

1. En este ejercicio veremos cómo se pueden resultados de búsquedas en los mapas de Bing Maps. Para empezar, buscaremos un lugar. Haga clic en el vínculo **Lugares**, escriba las palabras **Big Ben Londres** y pulse el icono **Buscar**.

2. Amplíe el zoom en el mapa de calles pulsando durante unos segundos en el icono **Acercar**.

3. Para imprimir este mapa, pulse en el vínculo **Imprimir**.

4. Aparece de este modo en una nueva ventana del navegador la imagen actual del mapa, una miniatura con el zoom más alejado y un cuadro de texto en el que puede insertar notas o comentarios de hasta 120 caracteres. Haga clic en ese cuadro de textom escriba, a modo de ejemplo, el texto **Ubicación del Big Ben de Londres** y pulse en el vínculo **Imprimir**.

5. Ahora se abre el cuadro **Imprimir**, cuyas opciones dependerán del modelo de impresora que tenga conectada a su equipo.

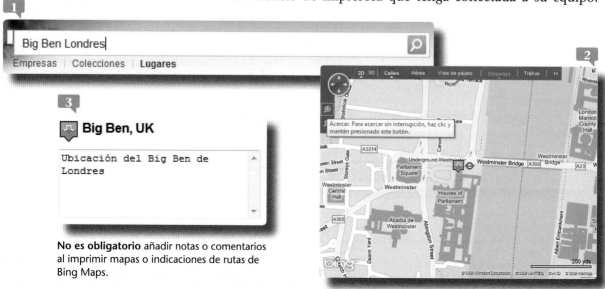

No es obligatorio añadir notas o comentarios al imprimir mapas o indicaciones de rutas de Bing Maps.

Mantenga las opciones como aparecen por defecto y pulse el botón **Imprimir** para obtener la copia.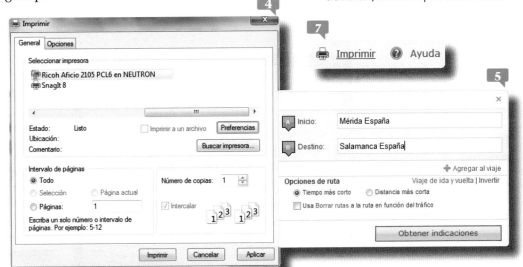

6. Cierre la ventana de impresión pulsando el botón de aspa de su **Barra de título**.

7. Ahora veremos que Bing Maps también permite imprimir indicaciones de ruta. Pulse en el vínculo **indicaciones**.

8. En el campo **Inicio** escriba los términos **Mérida España**, haga clic en el campo **Destino**, escriba las palabras **Salamanca España** y, manteniendo las opciones de ruta tal y como se muestran por defecto, pulse el botón **Obtener indicaciones**.

9. La vista de Bing Maps se actualiza mostrando las indicaciones de ruta y la representación gráfica de la misma en el mapa. Pulse en el vínculo **imprimir**.

10. Haga clic en el vínculo **Sólo texto**.

11. Desplácese por la página con ayuda de la **Barra de desplazamiento vertical** para comprobar que, efectivamente, los mapas del resultado de la búsqueda no aparecen y pulse en el vínculo **Imprimir**.

12. De nuevo aparece el cuadro **Imprimir**, en el que puede establecer las condiciones de la impresión. Haga doble clic en el campo **Número de copias** y escriba el valor **2**.

13. De este modo, obtendremos dos copias impresas de las indicaciones de ruta. Pulse el botón **Imprimir** para proceder con la impresión y acabe el ejercicio cerrando la ventana de impresión de Bing Maps.

6

Mapa y texto | Sólo mapa | **Sólo texto**

Bing Maps

A: **Mérida, Extremadura, España**
B: **Salamanca, Castilla y León, España**
Viaje: **171.3 mi, 2 hr 52 min**

Cuando los resultados de la búsqueda incluyen **texto y mapas**, Bing Maps nos ofrece la posibilidad de imprimir ambos elementos, sólo el mapa o sólo el texto.

7

🖶 Imprimir   ❓ Ayuda

Si desea cambiar características como la orientación del papel, el orden de las páginas o la calidad del papel, acceda al cuadro **Preferencias de impresión** pulsando el botón Preferencias.

4

Imprimir

General | Opciones

Seleccionar impresora
Ricoh Aficio 2105 PCL6 en NEUTRON
SnagIt 8

Estado: Listo   ☐ Imprimir a un archivo   [Preferencias]
Ubicación:
Comentario: [Buscar impresora...]

Intervalo de páginas
◉ Todo
○ Selección   ○ Página actual   Número de copias: 1
○ Páginas: 1   ☑ Intercalar
Escriba un solo número o intervalo de   1 2 3   1 2 3
páginas. Por ejemplo: 5-12

[Imprimir] [Cancelar] [Aplicar]

5

A Inicio: Mérida España
B Destino: Salamanca España

➕ Agregar al viaje

Opciones de ruta   Viaje de ida y vuelta | Invertir
◉ Tiempo más corto   ○ Distancia más corta
☐ Usa Borrar rutas a la ruta en función del tráfico

[Obtener indicaciones]

203

Agregar marcadores con Bing Maps

PUEDE AGREGAR MARCADORES QUE CONTENGAN información como notas o vínculos en puntos específicos de un mapa. Para ello, deberá utilizar la opción Agregar un marcador del menú contextual del mapa.

1. En este ejercicio veremos cómo agregar marcadores en puntos específicos de un mapa para señalar lugares de interés. Para empezar, buscaremos un lugar en Bing Maps. Haga clic en el vínculo Lugares, pulse en el cuadro de búsqueda y escriba el término **Calle de les Carolines Barcelona**.

2. Lógicamente, cuantos más datos tenga Bing Maps para realizar una búsqueda, más exacta será ésta. Puede ocurrir que existan varias calles con el mismo nombre en diferentes ciudades del mundo. Si en el cuadro de búsqueda especifica la ciudad en la que está buscando la calle, el proceso será más rápido y sencillo. Pulse el icono **Buscar**.

3. Haga clic y mantenga presionado el botón del ratón sobre el icono **Acercar** para acercar el zoom sin interrupción sobre esta zona del mapa.

4. Observe que en esta calle existe una casa especial, la Casa Vicens. Vamos a añadir un marcador en ese punto. Haga clic con el botón derecho del ratón en ese punto y, del menú contextual que se abre, elija la opción **Agregar un marcador**.

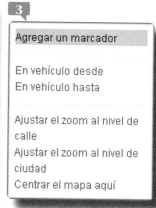

096

5. En el cuadro **Editar propiedades del elemento** debemos establecer las características de nuestro marcador. Si ha creado colecciones personales, puede añadir a éstas el marcador. En este caso, mantendremos seleccionada la opción **Colección sin guardar** en el campo **Colección** y pasaremos a indicar un título para el marcador. Haga clic en el campo **Título** y escriba el término **Carolines 24**.

6. Pulse en el campo **Notas** y escriba, como ejemplo, el texto **Casa Vicens, edificio modernista, primer proyecto de Antoni Gaudí**.

7. Ahora pulse en el campo **URL con más información** y escriba la dirección Web: **www.casavicens.es**.

8. El vínculo **Agregar una nueva foto** le permite añadir al marcador una imagen que tenga almacenada en su equipo. En este ejemplo, usaremos la imagen **096-001.jpg**, que puede encontrar en nuestra zona de descargas y guardar en su Biblioteca de imágenes. Haga clic en el vínculo **Agregar una nueva foto**.

9. En el panel de navegación del cuadro **Elegir archivos para cargar**, active la **Biblioteca Imágenes** y después localice y seleccione la imagen **096-001.jpg** y pulse el botón **Abrir**.

10. Una vez definidas las propiedades del marcador, pulse el botón **Guardar** y vea cómo éste aparece en el mapa.

11. Pulse en el vínculo **Guardar ahora** del cuadro **Editor de colecciones**, escriba el término **Gaudí** en el campo **Título** del cuadro **Propiedades de la colección** y pulse **Guardar**.

12. Compruebe que al situar el puntero del ratón sobre el nuevo marcador, aparecen los datos que hemos guardado para él.

Tenga en cuenta que el tamaño de las nuevas fotos que agregue a sus marcadores no puede ser superior a **1 MB**.

Puede utilizar cualquier otra foto que tenga guardada si lo prefiere.

Instalar 3D para Bing Maps

PUEDE INSTALAR LA FUNCIÓN 3D para Bing Maps para ver edificios y lugares populares de las ciudades en tres dimensiones y desplazarse por las perspectivas de los mismos y verlos desde distintos ángulos y alturas con ayuda del ratón, el teclado o un Xbox 360 Controller para Windows.

1. En el mapa de Bing Maps, pulse sobre el vínculo **3D**.

2. Tal y como se informa, para poder ver mapas en 3D, es necesario instalar el complemento 3D de Bing Maps. Pulse en el botón **Descargar** del cuadro **Instalación de 3D**.

3. Pulse el botón **Ejecutar** del cuadro **Advertencia de seguridad de Descarga de archivos**.

4. En pocos segundos se ejecuta la instalación del software. Mantenga las opciones de configuración tal y como aparecen en el cuadro **Bing Maps 3D Installer** y pulse el botón **Finalizar**.

5. Al iniciarse la exploración 3D, un cuadro de ayuda nos informa de cómo utilizar el ratón para inclinar o girar la vista. Como ve, deberá mantener pulsada la tecla **Control** mientras arrastra el ratón. Desactive la opción **Mostrar esta pantalla al iniciar 3D** y pulse el botón **Cerrar**.

6. Vea que a los habituales controles de zoom y giro se han añadido otros propios de la visualización en tres dimensiones.

Si desea leer el **acuerdo de servicio de Microsoft** y la **declaración de privacidad** antes de proceder con la descarga de 3D, pulse en sus correspondientes vínculos en el cuadro de instalación.

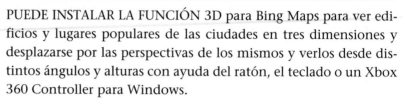

097

Buscaremos ahora en el mapa un punto de la ciudad de Nueva York para comprobar la espectacularidad de la función 3D de Bing Maps. Active la opción **Lugares**, escriba los términos **Empire State Nueva York** en el cuadro de búsqueda y pulse el icono **Buscar**.

7. Antes de practicar con los controles tridimensionales, aumente el zoom de la zona pulsando en el icono **Acercar**.

8. Para inclinar hacia abajo el mapa, pulse en el icono que muestra un ángulo y una flecha que señala hacia la derecha.

9. Se trata de que vaya jugando con estos controles para obtener diferentes vistas en perspectiva de este emblemático edificio de Nueva York. Reduzca la altitud para ir bajando por el edificio pulsando el icono que muestra una flecha hacia abajo.

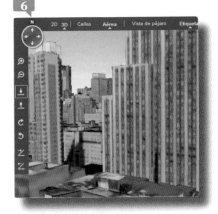

10. Ahora gire el ángulo de la cámara hasta ver la calle usando los iconos que muestran flechas curvadas y siga reduciendo la altitud hasta situarse a pie de calle.

11. Para dirigirse a un punto concreto del mapa, haga doble clic sobre él.

12. En un mapa 3D puede activar el modo de primera persona para mirar a su alrededor desde una posición fija, como si girase la cabeza. Para ello, pulse la combinación de teclas **Ctrl.+Q** y después juegue con las teclas de dirección y con la rueda de su ratón para obtener diferentes vistas.

13. Para salir de la vista en primera persona pulse la tecla **Escape** y, después muestre el mapa en dos dimensiones pulsando en el vínculo **2D** para dar por acabado el ejercicio.

También puede **inclinar** el mapa hacia abajo pulsando la tecla Control y arrastrando el ratón y pulsando la combinación de teclas **Ctrl.+tecla de dirección hacia abajo**.

Personalizar las opciones de Bing Maps

EL CUADRO OPCIONES DE BING MAPS incluye una serie de opciones de configuración de la aplicación, entre las que se encuentran las que permiten determinar la unidad en la que se mostrarán las distancias en los mapas, establecer la calidad de vídeo de los paseos 3D y personalizar el rendimiento de la navegación 3D.

1. Para empezar este ejercicio en el que veremos cómo configurar las opciones de Bing Maps, realizaremos una nueva búsqueda de un lugar. Active la opción **Lugares**, escriba **Central Park** en el campo de búsqueda y pulse el icono **Buscar**.

2. Para poder configurar las opciones de la navegación 3D es necesario que ésta se encuentre activada. Acerque el zoom y pulse en el vínculo **3D** para ver el mapa en tres dimensiones.

3. Ahora pulse en el vínculo **opciones**.

4. Como ve, el cuadro **Opciones** incluye dos fichas, **General** y **Vídeo de paseo 3D**. En primer lugar, indicaremos que queremos que las distancias se muestren en el mapa en kilómetros en vez de en millas. Pulse el botón de flecha del campo **Mostrar distancia en** de la ficha **General** y elija la opción **km**.

5. La opción **Usar zoom y desplazamientos animados**, activada por defecto, hace que el mapa se acerque y se aleje como si

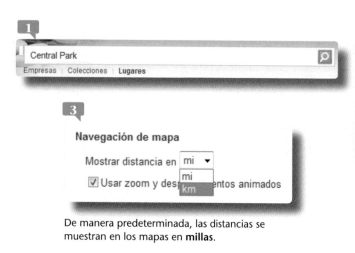

Navegación de mapa

Mostrar distancia en ~ mi ▾
~ mi ~
☑ Usar zoom y des[...]entos animados ~ km ~

De manera predeterminada, las distancias se muestran en los mapas en **millas**.

usáramos un teleobjetivo. Si desactiva esta opción, el mapa se actualizará de izquierda a derecha al acercar o alejar. Por su parte, la opción **Guardar mis lugares anteriores**, también activada por defecto, hace que Bing Maps almacene la última búsqueda realizada en el mapa para que aparezca al volver a acceder a Bing Maps. Pulse el botón **Configuración 3D**.

6. En la ficha **Rendimiento** del cuadro **Configuración 3D** puede seleccionar la configuración de detalle que desea usar. Para ver una descripción de los tres niveles disponibles, sólo tiene que pulsar sobre ellos. Haga clic en el botón de opción **Equilibrada** y lea su descripción.

7. Este nivel y el nivel **Rendimiento** son los recomendados para equipos antiguos y para aquéllos que muestran las imágenes en 3D muy lentamente. Recupere el nivel **Calidad** pulsando en su botón de opción.

8. Para mejorar la vista del terreno a baja altitud, pulse en la casilla de verificación de la opción **Usar filtrado anisotrópico**.

9. En el campo **Caché de disco máxima (MB)** debe establecer un tamaño máximo de disco que nos sobrepase el espacio disponible del disco duro. Pulse en la pestaña **Preferencias**.

10. En esta ficha puede cambiar el modo de exploración panorámica y el uso de animaciones de los objetos. Mantenga las dos opciones activadas, pulse el botón **Aceptar** para aplicar la nueva configuración y, para acabar, pulse el botón **Aceptar** del cuadro **Opciones**.

6

☑ Mostrar edificios
☑ Mostrar detalles de edificios
☑ Mostrar árboles

☑ Usar filtrado anisotrópico (mejor vista del terreno a baja altitud)

4

Configuración de navegación y rendimiento 3D

Configuración 3D

Lógicamente, para poder personalizar la configuración 3D, deberá tener instalado **Bing Maps 3D**. Si no lo tiene, este botón se mostrará inactivo.

Con el nivel **Calidad** puede mostrar u ocultar los edificios, los detalles de los mismos y los árboles.

5

Configuración de detalles

○ Rendimiento
◉ Equilibrada
○ Calidad

Configuración de detalle equilibrada. Los edificios se ven sin detalles exteriores. Selecciona esta configuración para la mayoría de los equipos o si las imágenes en 3D se visualizan lentamente.

Al activar la configuración de detalles **equilibrada** los edificios se verán sin detalles y no se mostrarán los árboles.

7

Exploración
☑ Permitir que el movimiento panorámico se detenga gradualmente.

Animaciones
☑ Usar animación cuando los objetos aparezcan en pantalla.

Traducir con Bing Translator

BING TRANSLATOR ES UN SERVICIO (en desarrollo en el momento de redactar este manual) ofrecido por Microsoft como parte de sus servicios Bing que permite a los usuarios traducir textos y páginas Web en diferentes idiomas.

1. Para empezar, haga clic en el icono que precede a la dirección en la **Barra de direcciones**, escriba la siguiente dirección: **www.microsofttranslator.com** y pulse la tecla **Retorno** para acceder a la página principal de Bing Translator.

2. Puede hacer que el traductor detecte automáticamente el idioma del texto escrito en el primer cuadro de texto y lo traduzca al idioma seleccionado en el campo de idioma de traducción. Puede escribir un texto para su traducción o pegarlo tras copiarlo en otra ubicación. Haga clic en el primer cuadro de texto y escriba, a modo de ejemplo, la palabra **chien**.

3. Haga clic en el botón de punta de flecha del primer campo **Idiomas**, en el que se muestra por defecto la opción **Detectar automáticamente**, y elija el idioma **francés**.

4. Mantenga el **Español** en el segundo campo y pulse el botón **Traducir**.

5. Bing Translator le permite valorar esta traducción, copiar el resultado en el portapapeles y notificar a Microsoft traducciones ofensivas. Pulse en el vínculo **Borrar todo**.

Tenga en cuenta que, aunque pueden ser muy prácticas en determinadas situaciones, en ningún caso las **traducciones automáticas** ofrecen los mismos resultados que un traductor humano profesional.

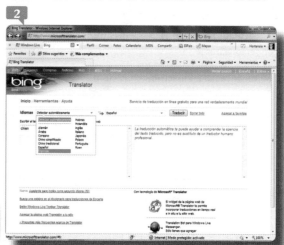

Con Bing Translator puede traducir textos de hasta **500 palabras** y páginas Web enteras.

6. A continuación, copiaremos un texto de un documento de Word de ejemplo denominado **099.docx**, que puede encontrar en nuestra zona de descargas y almacenar en la Biblioteca de documentos de su equipo, y lo pegaremos para obtener su traducción. Haga clic en el icono **Explorador de Windows** de la **Barra de tareas**.

7. Abra su biblioteca de documentos haciendo doble clic sobre ella y abra también con un doble pulsación el documento **099.docx**. (Puede usar otro documento propio, si lo desea.)

8. Pulse la combinación de teclas **Ctrl. +E** para seleccionar todo el texto, la combinación de teclas **Ctrl.+C** para copiarlo en el portapapeles y cierre el documento pulsando el botón de aspa de su **Barra de título**.

9. Cierre también la **Biblioteca Documentos** pulsando el botón de aspa de su **Barra de título**.

10. Ahora haga clic con el botón derecho del ratón en el primer cuadro de texto y pulse en la opción **Pegar** del menú contextual que se despliega.

11. Despliegue la lista de idiomas y seleccione el inglés; después, pulse el botón **Traducir**.

12. Bing Translator también permite traducir páginas Web enteras. Acabaremos el ejercicio viendo un ejemplo de esta función. Pulse en el vínculo **Borrar todo**, haga clic en el campo de traducción, escriba la dirección URL **www.paris.org** y pulse en el botón **Traducir**.

13. Se muestra así la página en inglés a la izquierda y su traducción al españóla la derecha. Acabe el ejercicio pulsando en el vínculo **Página principal de Translator**.

Utilizando los **iconos de vistas** puede cambiar el modo en que se muestran las ventanas de la página Web traducida.

Obtener herramientas para Bing Translator

EL VÍNCULO HERRAMIENTAS DE LA PÁGINA principal de Bing Translator ofrece una serie de complementos para este servicio de traducción en línea gratuito dirigidos tanto a usuarios como a administradores Web y programadores.

1. En este ejercicio veremos cómo agregar herramientas complementarios para Bing Translator y mejorar así su capacidad de traducción de textos y páginas Web. Empezamos en la página principal del traductor. Pulse en el vínculo **Herramientas**.

2. Como hemos dicho, podemos encontrar herramientas para Bing Translator diseñadas para usuarios, administradores Web o programadores. En primer lugar, agregaremos a Internet Explorer 8 un acelerador de traducción. Pulse en el vínculo **Acelerador de traducción para Internet Explorer 8**.

3. Pulse el botón **Agregar** del cuadro **Agregar acelerador** para añadir este complemento a su navegador.

4. En pocos segundos queda instalado el acelerador para la traducción, que podrá convertir en el predeterminado accediendo al Administrador de complementos de Internet Explorer 8. Para comprobar que el acelerador se ha agregado, haga clic con el botón derecho del ratón sobre cualquier término en inglés de la página, pulse sobre la opción **Todos los aceleradores** del menú contextual y elija **Translate with Windows Live**.

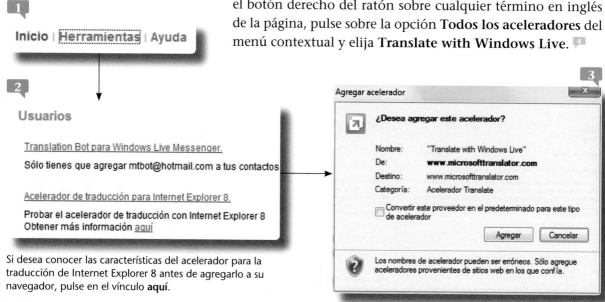

Inicio | Herramientas | Ayuda

Usuarios

Translation Bot para Windows Live Messenger.
Sólo tienes que agregar mtbot@hotmail.com a tus contactos

Acelerador de traducción para Internet Explorer 8.
Probar el acelerador de traducción con Internet Explorer 8
Obtener más información aquí

Agregar acelerador

¿Desea agregar este acelerador?

Nombre: "Translate with Windows Live"
De: **www.microsofttranslator.com**
Destino: www.microsofttranslator.com
Categoría: Acelerador Translate

☐ Convertir este proveedor en el predeterminado para este tipo de acelerador

[Agregar] [Cancelar]

Los nombres de acelerador pueden ser erróneos. Sólo agregue aceleradores provenientes de sitios web en los que confía.

Si desea conocer las características del acelerador para la traducción de Internet Explorer 8 antes de agregarlo a su navegador, pulse en el vínculo **aquí**.

5. Automáticamente se abre una nueva pestaña del navegador mostrando el resultado de la traducción. Ciérrela pulsando el botón de aspa de su pestaña.

6. Otra de las herramientas que ofrece Bing Translator es la que permite traducir texto durante nuestras conversaciones con Windows Live Messenger. Como ve, para ello sólo tiene que agregar el contacto **mtbot@hotmail.com** 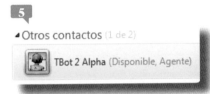 e invitarlo a sus conversaciones. (Vea cómo agregar contactos en Windows Live Messenger en el ejercicio 13 de este libro.)

7. También puede agregar el botón **Windows Live Toolbar Translator** a su Windows Live Toolbar. Si ya dispone de este botón, puede usarlo para ver la traducción de una página Web completa. Abra una nueva pestaña pulsando sobre ella, escriba en la **Barra de direcciones** la dirección Web **www.visitlondon.com** y pulse **Retorno** para acceder a ella.

8. Ahora pulse en el botón de doble punta de flecha de Windows Live Toolbar y, tras comprobar que dispone del complemento **Translator**, pulse sobre él.

9. Bing Translator muestra en una vista en paralelo la página principal y la traducida. Use la **Barra de desplazamiento** para comprobar que toda la página se ha traducido y cierre la pestaña con la traducción pulsando su botón de aspa.

10. Para acabar, desplácese por la página de herramientas de Translator para ver qué otras podemos agregar para mejorar nuestras traducciones y acabe el ejercicio y el curso cerrando el navegador.

100

5

▲Otros contactos (1 de 2)

TBot 2 Alpha (Disponible, Agente)

Cuando inicie una conversación con el **agente traductor en Messenger**, deberá especificar el idioma en que usted habla y el idioma al que desea traducir los textos. El agente le irá indicando los pasos que debe seguir para hacerlo.

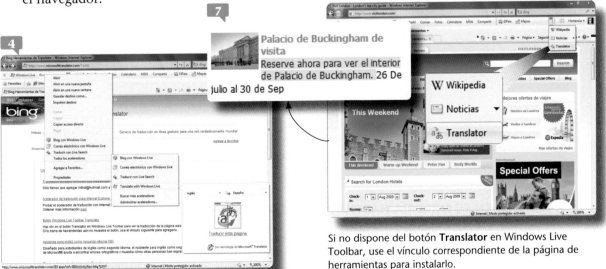

Si no dispone del botón **Translator** en Windows Live Toolbar, use el vínculo correspondiente de la página de herramientas para instalarlo.

Para continuar aprendiendo...

SI ESTE LIBRO HA COLMADO SUS EXPECTATIVAS...

Este libro forma parte de una colección en la que se cubren los programas informáticos de más uso y difusión en todos los sectores profesionales.

Todos los libros de la colección tienen el mismo planteamiento que éste que acaba de terminar. Así que, si con éste hemos conseguido que aprenda a utilizar las aplicaciones incluidas en Windows Live o ha aprendido algunas nuevas técnicas que le han ayudado a profundizar su conocimiento de estos programas, no se detenga aquí; en la página siguiente encontrará otros libros de la colección que pueden ser de su interés.

PÍDALOS EN SU LIBRERÍA HABITUAL...Y, SI NO LOS ENCUENTRA, SOLICÍTELOS A

MARCOMBO Gran Via de les Corts Catalanes, 594 08007 Barcelona - Tel. 933 180 079

RETOQUE FOTOGRÁFICO CON PHOTOSHOP CS4

Si lo que le interesa es el diseño gráfico y el retoque fotográfico, entonces "Aprender Retoque fotográfico con Photoshop CS4 con 100 ejercicios prácticos" es el libro que le recomendamos.

Photoshop CS4 es el programa de retoque fotográfico y tratamiento de imágenes por excelencia. Con este manual aprenderá a combinar sus diferentes herramientas, filtros y funciones para mejorar el aspecto de sus fotografías digitales y para crear sorprendentes composiciones de aspecto profesional.

Con este libro:

- Aprenda a corregir defectos de sus fotografías
- Descubra sencillas técnicas de retoque para retratos
- Conozca el modo de compartir sus fotografías
- Aprenda a aplicar correctamente los filtros
- Automatice acciones para ejecutarlas sobre muchas fotos

INTERNET, CONFECCIÓN DE PÁGINAS WEB, DISEÑO WEB

Por otro lado si su interés está más cerca de Internet y todo lo que hace referencia al diseño Web, entonces su libro ideal es "Aprender Flash CS4 con 100 ejercicios prácticos".

Flash CS4 es el programa líder en el sector del diseño gráfico para crear contenidos interactivos y animaciones de formidable atractivo. Con este manual aprenderá a utilizar este impresionante software, mejorado y ampliado, con sus propias creaciones. En esta versión de Flash, Adobe ha incluido distintas novedades, tanto en cuanto se refiere a su interfaz, mucho más intuitiva y práctica para el usuario, como en cuanto a sus herramientas y funciones.

Con este libro:

- Controle sus animaciones exhaustivamente
- Aplique transformaciones 3D a cualquier objeto
- Personalice su biblioteca de símbolos
- Aproveche las múltiples herramientas de dibujo
- Utilice las animaciones predefinidas de Flash CS4

DISEÑO ASISTIDO POR ORDENADOR

Si su interés está más cerca del diseño técnico y de interiores asistido por ordenador, entonces su libro ideal es "Aprender Auto-CAD 2009 con 100 ejercicios prácticos".

AutoCAD 2009 es en la actualidad una de las aplicaciones más respetadas y utilizadas por diseñadores, ingenieros y arquitectos. Con este manual aprenderá a manejarla de forma cómoda. En esta versión de AutoCAD, se presentan interesantes novedades, tanto en su aspecto como en sus herramientas y funciones, que incrementan las posibilidades de creación y diseño técnico.

Con este libro:

- Conozca la nueva interfaz del programa, mucho más intuitiva y lógica
- Trabaje con coordenadas
- Utilice los múltiples comandos 2D y 3D para dibujar
- Cree impresionantes diseños utilizando sólidos, superficies y múltiples materiales

MAQUETACIÓN

Por otro lado si su interés está más cerca de la maquetación de libros, revistas, folletos, etc., entonces su libro ideal es "Aprender InDesign CS4 con 100 ejercicios prácticos".

InDesign es el programa líder en el sector del diseño gráfico para diseñar y maquetar composiciones de todo tipo, desde libros hasta revistas, folletos publicitarios, etc. Con este manual aprenderá a utilizar este impresionante software, mejorado y ampliado, con sus propias creaciones. En esta versión de InDesign, Adobe ha incluido distintas novedades, tanto en su interfaz como en sus herramientas.

Con este libro:

- Diseñe fácilmente atractivas composiciones para la edición digital e impresa
- Genere rápidamente documentos PDF interactivos
- Explore sus posibilidades creativas y obtenga elegantes composiciones de página
- Cree documentos complejos con tablas, numeraciones...